CB068144

Diretor editorial
Henrique Teles

Produção editorial
Eliana Nogueira

Arte gráfica
Bernardo Mendes

Revisão
Eduardo Satlher Ruella

Tradução
Américo Jacobina Lacombe

EDITORA GARNIER
Belo Horizonte
Rua São Geraldo, 67 - Floresta - Cep.: 30150-070 - Tel.: (31) 3212-4600
e-mail: vilaricaeditora@uol.com.br

CORRESPONDÊNCIA ENTRE MARIA GRAHAM E A IMPERATRIZ DONA LEOPOLDINA

Dados Internacionais de Catalogação na Publicação (CIP) de acordo com ISBD

Graham, Maria

G738c Correspondência entre Maria Graham e a Imperatriz Dona Leopoldina / Maria Graham ; traduzido por Américo Jacobina Lacombe. - 2. ed. - Belo Horizonte - MG : Garnier, 2021.

154 p. ; 14cm x 21cm.

Inclui índice.
ISBN: 978-65-86588-09-5

1. Memórias. 2. Correspondência. 3. Maria Graham. 4. Imperatriz Dona Leopoldina. I. Lacombe, Américo Jacobina. II. Título.

2020-972

CDD 920
CDU 929

Índice para catálogo sistemático:

1. Memórias 920
2. Memórias 929

MARIA GRAHAM

CORRESPONDÊNCIA ENTRE MARIA GRAHAM E A IMPERATRIZ DONA LEOPOLDINA

E CARTAS ANEXAS

GARNIER
desde 1844

Copyright © 2021 Editora Garnier.

Todos os direitos reservados pela Editora Garnier.
Nenhuma parte desta publicação poderá ser reproduzida
sem a autorização prévia da Editora.

Sumário

Explicação 09
Correspondência entre Maria Graham e a Imperatriz
Maria Graham — Dom Pedro I — Esboço Biográfico 27
Correspondência entre Maria Graham e a Imperatriz
Dona Leopoldina e Cartas Anexas 29
Nota 29
Escorço Biográfico de D. Pedro I, com uma Notícia do Brasil e
do Rio de Janeiro em seu tempo 59
Advertência 59
Nota Prévia 60
Aditamento 61
Escorço Biográfico de D. Pedro I, com uma Notícia do Brasil e do
Rio de Janeiro em seu tempo 62
Apensos 151

EXPLICAÇÃO

Por diligência do prestimoso senhor Erich Eichner, da livraria Kosmos, desta capital, adquiriu a Biblioteca Nacional, em 1938, do senhor. Walter T. Spencer, livreiro-antiquário de Londres, uma parte do espólio literário e artístico de Maria Graham, constante da correspondência epistolar entre ela e a Imperatriz Maria Leopoldina, acompanhada de algumas cartas do barão de Mareschal, de Sir Charles Stuart, de Sir Robert Gordon, e outros mais; de um escorço biográfico do Imperador D. Pedro I, e de 61 pequenas aquarelas de sua autoria, representando aspectos, tipos e costumes do Brasil.

Essa feliz aquisição proporciona aos *Anais da Biblioteca* a oportunidade de inserir no presente volume a Correspondência e o Escorço biográfico, que são escritos absolutamente inéditos e de particular interesse para a história dos primórdios do Brasil independente. Da tradução para o vernáculo encarregou-se, gentilmente, o jovem e ilustrado professor Américo Jacobina Lacombe, diretor da Casa Rui Barbosa, que se desempenhou da tarefa com o zelo e a inteligência que todos lhe reconhecem, oferecendo uma versão tão elegante e fiel quanto era justo exigir.

Maria Dundas, pelo primeiro casamento Maria Graham e pelo segundo Lady Callcott, nasceu em Papcastle, perto de Cockermouth, Inglaterra, em 19 de junho de 1785. Seu pai, George Dundas, era vice-almirante e comissário do Almirantado britânico. Desde criança revelou Maria Dundas inteligência, muita aplicação aos estudos e acentuado interesse pelas narrativas de viagens, informa um dos seus biógrafos. Com tais disposições de espírito recebeu excelente instrução, consolidada pela convivência que mantinha com literatos e artistas, como Rogers, Thomas Campbell, Lawrence e outros, que frequentavam como hóspedes a residência de seu tio Sir David Dundas, em RichmonD.

Aos 22 anos, nos princípios de 1808, em companhia de seu pai, empreendeu a sua primeira grande viagem à Índia. No ano seguinte contraiu matrimônio com o capitão Thomas Graham, da Marinha de Guerra inglesa, e logo depois, com o marido, fez outra viagem à volta do continente indiano. Estavam de regresso à Inglaterra em 1811, e passaram algum tempo na Itália em 1819.

A bordo da fragata Doris, que o capitão Graham comandava, vieram para a América do Sul em 1821. Nessa ocasião, Maria Graham visitou Pernambuco, Bahia e Rio de Janeiro; de 21 de setembro a 14 de outubro, enquanto a fragata esteve no porto do Recife, foi hóspede do governador Luiz do Rego Barreto, assistiu às primeiras lutas constitucionais — a organização e vitória da junta de Goiânia. Luiz do Rego era casado com uma filha do Visconde do Rio-Seco, figura preeminente na corte do Rio de Janeiro; a viajante teria conhecido aquela senhora, e esse conhecimento valeria depois para aproximá-la da Imperatriz Leopoldina, por intermédio da Viscondessa.

Maria Graham chegou ao Rio em 15 de dezembro de 1821. Nas "*Notícias Marítimas*", da *Gazeta do Rio de Janeiro*, de 20 do mesmo mês, lê-se: "Entradas. Dia 15 do corrente: Bahia, 7 dias, F. ingl. *Doris*, Com. Graham". A 24 de janeiro de 1822, saía a fragata para a Bahia, e voltava a 24 de fevereiro; a 10 de março zarpava de novo a cruzar e rumava para o sul. Em abril, na altura do cabo de Horn, falecia o capitão Graham; sua viúva recolhia-se a Valparaíso, onde estava Lord Cochrane, ao serviço do Chile, para em seguida passar ao do Brasil. Das "Notícias Marítimas" do Diário do Governo, de 15 de março de 1823, consta: "Entradas. Dia 13 do corrente: Valparaíso, 60 dias, B. ingl. *Colonel Allan*, M. Bartholomew, equipagem 8, carga carne salgada, a May & Lukin; passageiros Lord Cochrane com 6 criados, 11 oficiais ingleses e espanhóis, e 1 mulher". Essa mulher era Maria Graham. Um dos oficiais ingleses era seu primo, Glennie, chamava-se; vinha gravemente enfermo e sob seus cuidados; com ele desembarcou no dia 15, e esteve a princípio na casa de Sir Thomas Hardy, até que May, da firma May & Lukin, lhe arranjou uma casa no morro da Glória, perto da sua e não muito longe da que o governo havia posto temporariamente à disposição de Lorde Cochrane. A 22 de março já se achava instalada em sua casa; o primo doente, a 15 de abril, já estava restabelecido e recebia ordem para juntar-se ao chefe da divisão naval na Bahia.

Nessa segunda estadia no Rio de Janeiro, que demorou até outubro de 1823, Maria Graham viveu em contato com a melhor sociedade fluminense, que a recebia em seu seio com distinção e simpatia. Foi nessa situação que, por intermédio de seu compatriota Sir Thomas Hardy e da Viscondessa do

Rio-Seco, ofereceu seus serviços à Imperatriz D. Leopoldina para governante da princesinha D. Maria da Glória, com o desejo expresso de ir à Inglaterra antes de assumir o encargo. O oferecimento foi imediatamente aceito pela Imperatriz, e o Imperador não pôs dúvida em permitir a viagem à Inglaterra. Em 23 de outubro, a bordo do paquete inglês Chichester, comandante William Karkney, com destino a Falmouth, tomou passagem Maria Graham, como se lê nas "*Notícias Marítimas*" do *Diário do Governo*, de 27 do mesmo mês e ano. Até meados de julho de 1824 ficou na Inglaterra. Em 4 de setembro chegava de novo ao Rio de Janeiro, a bordo do paquete inglês Reynald, comandante Mora, saído de Falmouth pela Madeira, Tenerife, Pernambuco e Bahia, com cinquenta dias de viagem, de Pernambuco quinze, e da Bahia seis, como consta das mesmas "Notícias" do Diário de 7 de setembro.

Em Pernambuco encontrou o porto bloqueado pela Esquadra Imperial comandada por Lorde Cochrane, por motivo da Confederação do Equador. O almirante, sabendo de sua presença no Recife, foi visitá-la e almoçar com ela a bordo, encarregando-a de entender-se em terra, onde ia hospedar-se em casa do inglês Stewarts, com Manuel de Carvalho Paes de Andrade, chefe da rebelião, no sentido de aconselhá-lo a submeter-se ao governo do Imperador. Maria Graham, da primeira vez que esteve em Pernambuco, havia travado conhecimento com Manuel de Carvalho, cavalheiro educado na Inglaterra, e que falava bem a língua inglesa.

Oliveira Lima, em artigo sob o título "*Mrs. Graham e a Confederação do Equador*", na *Revista do Instituto Arqueológico Pernambucano*, vol. XII, ps. 306/310, Recife, 1907, documentado em notas inéditas deixadas pela viajante, dá conta de seus trabalhos para cumprir conscienciosamente a missão de que fora incumbida. Procurou convencer o chefe rebelde a ceder de sua empresa, uma vez que as forças legais eram absolutamente superiores às suas, fazendo-lhe ver que do conflito só podiam resultar "a derrota e a miséria, e um desperdício de vidas humanas, que eu estava segura de que ele e qualquer homem de bem devia desejar evitar".

Disse-lhe (rezam as notas) que sem embargo da sentença antecipadamente pronunciada contra ele e seus partidários, das proclamações espalhadas pelo exército, ela contava como certo que, se Manuel de Carvalho confiasse no almirante, poderia ter por garantidas a salvação e a fuga de todos.

É mais provável (comenta Oliveira Lima) que a emissária não fizesse mais do que repetir o que pensava o marquês do Maranhão, pouco afeiçoado por temperamento e educação a represálias políticas de tal natureza, que por demais repugnavam à sua qualidade de estrangeiro. Se o conselho houvesse sido seguido, o Primeiro Reinado teria poupado aos seus anais uma página cruel de repressão, que nunca ofereceu o Segundo Reinado.

Maria Graham recorda que Manuel de Carvalho se fizera rebelde em consequência da dissolução da Assembleia Constituinte, ocorrida quando ele aconselhava o Imperador, em proclamações e outros documentos públicos, a excluir de seu conselho e valimento todos os portugueses europeus, e a modelar uma constituição liberal com a assistência da Assembleia Constituinte. Entretanto, a dissolução da Assembleia, de modo arbitrário, veio exacerbar os sentimentos do partido a tal grau que o pôs fora dos eixos, e acabou com toda deferência para com o Imperador. Este e seu poder entravam a ser desafiados, ao mesmo tempo em que eram chamadas as províncias vizinhas a ajudar os pernambucanos na defesa de seus direitos de homens e de cidadãos.

D. Pedro I (observa Maria Graham) era geralmente tido por português, e a situação imperial não aparecia muito lisonjeira, com a expectativa de adesão das províncias do norte à causa republicana federativa: José Pereira Filgueiras marchava do Ceará, segundo no Recife avisavam à viajante; a Paraíba estava sob o influxo da força democrática de Goiana, e o Piauí manifestava-se bem disposto a favor da revolução.

Foi em 20 de agosto de 1824 que Maria Graham teve sua segunda entrevista com Manuel de Carvalho, "esperando que as minhas representações pudessem ainda poupar o derramamento de sangue". O presidente da Confederação do Equador recebeu-a muito amavelmente, apresentou-lhe as filhas, fez servir frutas e vinho, e comunicou-lhe suas esperanças, referindo-se às suas forças — tropa, na expressão da visitante, composta em parte de meninos de dez anos e de negros de cabeça branca —, afirmando que jamais cederia diante do poder central, a não ser que a mesma Assembleia Constituinte fosse convocada de novo, não, porém, no Rio de Janeiro, mas em qualquer outro lugar, fora do alcance dos regimentos imperiais. Ele, pessoalmente, achava-se resolvido a tornar o Brasil livre, ou a morrer no campo da Glória (sic).

Tomei a liberdade (continua Maria Graham) de contradizê-lo e mostrar-lhe quão imprudente havia sido a Assembleia, e como cabia ao Soberano o direito de dissolvê-la, pela circunstância de declarar-se ela permanente. Nossa conversação versou longamente sobre política abstrata.

Não deixou Maria Graham de apontar os riscos que corria o chefe da rebelião, e as grandes e graves responsabilidades que assumira, ao que Manuel de Carvalho se mostrou sensível, conforma ela relata, declarando que se visse perdida a causa que encarnava, se colocaria nas mãos de Lorde Cochrane, e em tal situação se julgaria seguro. Acrescenta a medianeira que deixou Manuel de Carvalho com um sentimento de pena. Ao regressar para bordo, procurou-a de novo o almirante, a saber dos resultados de suas entrevistas; disse-lhe ela quanto se passara, mostrou-lhe as gazetas e proclamações que trouxera de terra, e nas quais Frei Caneca deixava transbordar seu lirismo republicano, seu ardor antidinástico, e desenganou-o de alcançar uma solução pacífica do movimento. Almirante e escritora (escreve Oliveira Lima) jantaram juntos em frente ao Recife, percorrido pelos troços maltrapilhos de Manuel de Carvalho; palestraram horas, recordaram a luta da independência do Pacífico, em que ele fora ator e ela espectadora, e cada um seguiu seu rumo: Mrs. Graham para o Rio, onde a chamara tão honroso convite, Lord Cochrane para sua nau capitânia, a preparar-se para um ataque que desejaria poupar.

Com outros pormenores, Maria Graham conta, no Escorço Biográfico agora publicado, uma das entrevistas que teve com Manuel de Carvalho, em conselho e cercado do povo, para não ser suspeitado de comunicações secretas. Havia sido espalhada, poucos dias antes, uma proclamação imperial em termos severos, que se acreditava ter sido redigida por Lorde Cochrane, e causara grande alarme, principalmente pela ameaça de fazer afundar jangadas carregadas de pedras no único canal que dava acesso ao porto, e desse modo arruinar o comércio da praça. Manuel de Carvalho indagou dela se o almirante era capaz de praticar tal crueldade, ao que respondeu que estando ele ao serviço de Sua Majestade o Imperador, dirigindo a guerra por mar, não tinha dúvida em que havia de executar todas as ordens e em realizar todas as ameaças, a não ser que as condições em que a cidade pudesse ser poupada fossem cumpridas. Todo o conselho exclamou que isso nunca se daria. Manuel de Carvalho, quando ela ia despedir-se, disse-lhe em particular que não estava certo de que talvez para o futuro seus concidadãos não achassem necessário aceitar as propostas do Imperador, sendo uma das primeiras a sua entrega; quanto a ele, estava satisfeito de sofrer por uma boa causa. Mas que era filho de uma mãe idosa e pai de duas filhas órfãs de mãe, e que suplicava, no caso de lhes faltar sua proteção, que empregasse qualquer influência que pudesse ter junto a Lorde Cochrane para recomendá-las à sua misericórdia. Maria Graham prometeu prontamente, certa, porém, de que tal recomendação era desnecessária, porque talvez jamais tivesse existido comandante tão terrível para o inimigo antes da vitória, como tão misericordioso após ela.

Saindo de Pernambuco, o Reynald parou na Bahia por algumas horas somente, para aportar ao Rio seis dias depois, a 4 de setembro, como ficou dito. No Rio, Maria Graham dirigiu-se logo que desembarcou ao Paço de São Cristóvão, onde a primeira pessoa que encontrou, ao transpor o portão foi o próprio Imperador, de chinelos sem meias, calças e casaco de algodão listrado e um chapéu de palha forrado e amarrado de verde; recebeu-a agradavelmente, conversou um pouco, e indicou-lhe como havia de ver a Imperatriz, subindo à varanda, onde devia estar um camarista de serviço, que a conduziria aos aposentos de Sua Majestade. Acolhida como amiga, perguntou logo a Imperatriz se não havia recebido em Londres uma carta sua, em que a induzia a adiar a viagem, em vista do propósito do novo ministério, ao qual estava inclinado o Imperador, de fazer o casamento de D. Maria da Glória com seu tio D. Miguel, projeto que ela não apreciava, principalmente pelo parentesco próximo entre as partes. Por isso, considerando o tempo que deveria decorrer até à conclusão do negócio, havia escrito naquele sentido, julgando que talvez no ano seguinte a princesa pudesse ir para Portugal, e que se a chegada fosse adiada até às proximidades de sua partida, ela confiaria com prazer sua filha aos cuidados da governante, acostumada às viagens por mar. Parecia que duvidava da possibilidade de mandá-la à Europa, quando já tivesse assumido o cargo de governante das quatro princesinhas. Essa carta Maria Graham não recebera.

Instalada no Paço, melhor será deixar à autora a narrativa singela e plausibilíssima dos dias melancólicos e atormentados que ali passou, a sofrer as hostilidades e as impertinências daquela corte grosseira, mal-educada, mexeriqueira e intrigante. Ela era a segunda *estrangeira*: a primeira era a Imperatriz; também somente dela recebia demonstrações de civilidade e simpatia. Do barbeiro Plácido (Plácido Antônio Pereira de Abreu, *factótum* do Imperador, seu confidente, além de mordomo e tesoureiro da casa imperial, diretor da cozinha e almoxarife da casa das obras, que com todos esses empregos figura na lista dos criados do Paço), teve desde o princípio surda oposição, agravada depois pelo fato de não ter consentido que, à noite, ele e outros amigos subissem pelas escadas particulares à antecâmara da princesa, quando ela estivesse na cama, para ali poderem jogar cartas confortavelmente. Quando na manhã seguinte contou à Imperatriz esse incidente, ela elogiou e agradeceu sua conduta, mas sacudiu a cabeça, dizendo que daí por diante deveria contar como inimiga toda aquela súcia; e assim aconteceu. Desde aquele dia não mais viu as damas, senão raramente, e quando as encontrava, mostravam-se insolentes, malcriadas e zombeteiras.

Outros incidentes desagradáveis se deram. O Barbeiro e as damas tramavam contra a governante e haviam de levá-la de vencida. Uma delas, que dispunha de influência sobre o Imperador, foi escolhida para instrumento de vingança comum: certo dia irrompeu pelo quarto imperial, chorosa e desgrenhada, para interpelar a D. Pedro se era justo que aquelas que tinham deixado suas famílias e lares felizes em Portugal para acompanhar a família dos Braganças, estivessem sendo consideradas como criadas, enquanto estrangeiros, que não tinham ligações com a família real, e cuja capacidade de falar diversas línguas poderia facilitar-lhes a cabala contra os interesses de Sua Majestade, já que nenhum dos fiéis aderentes podia saber o que diziam, fossem tratados com grandes personagens, e tivessem permissão para dar ordens aos velhos servidores da família. O Imperador, que dormia a sesta, saltou do leito num paroxismo de aborrecimento, e quis saber por que motivo havia ela ousado perturbá-lo; a resposta foi que ela e todas as antigas damas, inclusive sua velha ama, estavam dispostas a deixar o Paço e a recolher-se a Lisboa; a causa era que a governante inglesa havia tomado a si tiranizar a herdeira do trono, pois havia até se sentado no lugar de honra numa das carruagens imperiais, e os preceitos que inculcava à princesa eram destinados a fazê-la esquecer a diferença entre seu sangue real e o do mais desprezível de seus súditos. O Imperador, impulsivo como era, exclamou: "Que ela saia imediatamente do Paço! Não quero minha família abalada, nem meus velhos aderentes afrontados, nem os herdeiros da minha casa insultados!"

Um recado verbal objetou a dama, não teria efeito sobre a vaidade da governante, mesmo que fosse transmitido pelo Plácido. O Imperador pediu então pena, tinta e papel, e escreveu uma carta lastimável, que fez a Imperatriz entregar à suposta culpada. D. Leopoldina, com muitas lágrimas, desempenhou-se da ingrata missão, e combinou com a amiga os termos da resposta, que foi altiva e digna.

Assim deixou Maria Graham o lugar de governante da Princesa, ocupado por pouco mais de um mês, de 5 de setembro a 10 de outubro de 1824, em que se deu o estranho rompimento. Ainda nessa ocasião procurou o Barbeiro afligi-la com pequenas pirraças, fazendo sequestrar suas bagagens na alfândega e sonegando-lhe em proveito próprio os ordenados devidos.

A Imperatriz lamentou a separação, que para ela foi enorme sacrifício; Mareschal escreveu-lhe: "Não poderíeis ser feliz no Rio de Janeiro, porque estáveis numa falsa posição, da qual devíeis apressar-vos em sair".

Maria Graham permaneceu no Rio até setembro de 1825, a princípio na Rua dos Pescadores, e ultimamente nas Laranjeiras, em correspondência epistolar com a Imperatriz, que continuou após seu embarque para a Europa. Nesse tempo algumas vezes encontrou-se com o Imperador, que a tratava com a maior delicadeza, como se nada houvesse acontecido entre ambos. Só uma vez voltou à presença da Imperatriz, no Paço da cidade, a um seu chamado urgente para negócio importante. Recebendo esse chamado pela manhã, partiu de caleça pela hora marcada; ao chegar à cidade, o cocheiro, guiando o carro desastradamente, atirou-o de encontra à escada de um convento, o da Ajuda, talvez, quebrando-o em pedaços e atirando a passageira do outro lado da rua; na queda, sobre o pulso da mão esquerda, teve pequena fratura. Socorrida prontamente e com o braço bandado, partiu para o Palácio, onde a esperava a Imperatriz, que se mostrou assustada com o estado da visitante até que esta pudesse explicar o que acontecera. Entrou logo no assunto para que a chamara. Queixou-se de que os Ministros eram todos Portugueses de coração; que seus interesses comerciais, quase idênticos aos de Portugal, os tornavam tímidos quanto aos resultados da guerra naval em curso no Norte; que as propriedades confiscadas como presas de guerra, dos velhos Portugueses, eram geralmente, de fato, se não a metade, de Brasileiros, e ainda que os Ministros se envergonhassem de alegar isso como razão de frieza com que olhavam o sucesso da Esquadra no Maranhão e Pará, não poderia haver dúvida quanto aos seus sentimentos com relação ao presente estado.

O plano dos ministros (revelou a Imperatriz) era, em primeiro lugar, a devolução das presas, com indenização pelos danos causados no curso da guerra. Os chefes da esquadra, depois disso, deveriam ser declarados traidores, por terem atacado as propriedades de súditos de D. João VI, protestando-se que as ordens haviam sido dadas simplesmente para vigiar as costas; suas propriedades seriam confiscadas e eles aprisionados ou submetidos a punição. Esse plano correspondia a dois fins que os ministros tinham em mente: agradar a rainha de Portugal, D. Carlota Joaquina, e verem-se livres de estrangeiros, cuja presença lhes era uma dor e um agravo, além de aliviar o tesouro do Brasil de uma quantia que teriam prazer em recolher. Em suma, o que a Imperatriz queria da amiga era que escrevesse a Lorde Cochrane, prevenindo-o do que se passava. Maria Graham prometeu fazê-lo e naquela mesma noite, apesar das dores que sofria, cumpriu a promessa. D. Leopoldina escreveu-lhe depois: "Fico sossegada e cai-me um grande peso do coração por saber que fizestes chegar a vossa opinião ao vosso insuperável e respeitável compatriota, o qual, creio que infelizmente só tarde demais será estimado como merece. Ao menos fica-me, a mim, a satisfação de não tê-lo jamais prejudicado".

A carta teve portador seguro, o Capitão Grenfell; Lorde Cochrane devia recebê-la, e isso explica por que sem mais formalidades se retirou do serviço do Brasil, embarcando no navio do Capitão Shepherd para a Inglaterra.

Pelo que pudesse acontecer aos dois oficiais, interessou-se Maria Graham junto à Imperatriz e a Marechal. Foi este quem primeiro a tranquilizou, escrevendo-lhe que seus desejos quanto a Shepherd e oficiais da *Piranga* tinham sido atendidos, já que ele conservou o comando daquela unidade; quanto a Lorde Cochrane, falava-se aqui nele tanto quanto se jamais houvesse existido, o que provava que não havia ressentimentos. De Grenfell transmitia a notícia de que ia se distinguindo: recebera mais um posto e uma condecoração, isso por 1828. Ainda sobre Shepherd, escrevia a Imperatriz: "Estou à vontade para poder certificar-vos que o bom Shepherd foi aproveitado no mesmo posto em que o Marquês o enviou".

Nas Laranjeiras, Maria Graham enchia suas horas trabalhando: escrevia, pintava e herborizava pelas matas em redor. É desse tempo a interessante introdução que redigiu para o livro *Voyage of H. M. S "Blonde", to the Sandwich Island in the years 1824 – 25*, London, 1827, in-4, por pedido de Lorde Byron, que era o comandante daquele navio. É ainda do mesmo período a excursão que fez a uma fazenda do Macacú, da qual deixou uma bela descrição, com interessantes observações botânicas nas páginas infra.

A 10 de setembro de 1825 Maria Graham retirou-se definitivamente do Brasil. Nas *"Notícias Marítimas"* do *Diário Fluminense* de 13, lê-se: "Saídas. Dia 10 do corrente: Portsmouth, F. Ingl. Sibilia, M. James Corbitte, passageira a Ingl. Maria Graham, com Passaporte da Secretaria de Estado dos Negócios Estrangeiros".

De Londres continuou a escrever a D. Leopoldina. Mareschal era o medianeiro da correspondência entre sua augusta compatriota e sua amiga inglesa. A última carta daquela é de 22 de outubro de 1826 e a última desta é de 2 de novembro do mesmo ano, que não chegou a ser entregue pelo falecimento da destinatária, ocorrido a 11 de dezembro; devolveu-a, bem como a anterior, de 17 de setembro, o ministro austríaco, que traçou este rápido necrológio da Imperatriz: "Sua morte foi chorada sincera e unanimemente. Ela deixou um vácuo perigoso..."

Nessa carta de 2 de novembro, Maria Graham participava à sua imperial amiga que estava resolvida a convolar para novas núpcias, com um pintor, Augustus Callcott, que a amava há muito tempo; estava cansada de viver só neste mundo. Seus parentes clamavam pela *mésalliance*, mas classificava-os de tolos, "como se um honesto nascimento e talentos superiores, com probidade e vontade, não valessem mais que o privilégio de dizer-se prima, em não sei que grau, de certos Lords, que não se incomodavam comigo mais do que com a rainha dos peixes!" Marechal alegrou-se com a notícia e com ela congratulou-se espirituosamente: "Fizestes muito bem, muito bem mesmo. O homem não foi feito para viver só, e a mulher ainda menos. De minha parte desejo-vos toda a prosperidade e felicidade possíveis". O casamento realizou-se a 20 de fevereiro de 1827, quadragésimo oitavo aniversário natalício de Callcott, que nascera em 1779; em Kensington Gravel Pits. O noivo estudou pintura na Academia Real e começou sua carreira artística como pintor de retratos, sob a direção do célebre Hoppner. O primeiro quadro que expôs foi o retrato de Miss Roberts, em 1799, e o sucesso obtido na Academia foi decisivo para a escolha de sua profissão. Tornou-se pintor famoso; visitou a França, Espanha, Holanda e, depois de casado, a Itália; com a ascensão da Rainha Vitória ao trono da Inglaterra, em 1837, teve o título de Cavaleiro e logo depois foi nomeado conservador das Coleções Reais. Seus principais quadros são: *Vista do Tâmisa cheio de navios, Vista de Pisa, Vista do Norte da Espanha, Vista do Escalda perto de Antuérpia* etc. Em 1837 expôs o quadro *Rafael e a Fornarina*, fora de seus assuntos habituais, com personagens em tamanho natural, e acabado com grande esmero, o qual foi gravado por Lumbs Stocks para a London Art Union, em 1843. Sua produção artística é considerável, composta de avultado número de retratos de personagens da alta sociedade inglesa, muitas paisagens a óleo, *sketches* em aquarelas etc. Depois da viagem à Itália o casal fixou-se em Kensington Gravel Pits, onde a morte os colheu, ela em 28 de novembro de 1842, ele dois anos depois, menos três dias, em 25 de novembro de 1844. Foram ambos sepultados no cemitério de Kensal Green.

A bibliografia de Maria Graham é bastante volumosa e interessante; podem ser aqui arroladas as seguintes obras de sua autoria:

— *Journal of a Residence in Índia*. Illustrated by engravings. — Edinburg, G. Ramsay and C°, 1812, in-4. — 2ª edição, 1813. — Tradução francesa por A. Duponchel,, in *Nouvelle Bibliothéque des Voyages*, vol. X, 1841.

— *Letters on India*. — With etchings and a map. — London, Longman, Hurst, Rees, Orme and Brown, 1814, in-8.

— *Three Months passed in the Mountains East of Rome during the Year 1819*. — London, Longman, Hurst, Rees, Orme and Brown, 1820, in-8. — 2ª edição, 1821.

— *Journal of a Residence in Chili during the Year 1822, and a Voyage to Brazil in 1823.* — London, Longman, Hurst, Rees, Orme and Brown, 1823, in-4. — Tradução castelhana por José Valenzuela. Santiago, Imprensa Cervantes, 1902, in-8.

— *Journal of a Voyage to Brazil and Residence there during Part of the Years 1821, 1822, and 1823*. London, Longman, Hurst, Rees, Orme and Green, 1824, in-4.

— *Voyage of H. M. S. "Blonde", to the Sandwich Islands in the years 1824-25, with an Introduction by Maria Graham*, London, 1827, in-4.

Além desses livros de viagens, Maria Graham compôs várias obras de literatura infantil, que tiveram largo sucesso, e fez muitas traduções de francês. Entre aquelas a mais conhecida é a *Little Arthur's History of England*, primeiro publicada em 1835, em dois volumes, sob as iniciais M. C., e repetidas vezes reeditada.

A citar ainda:

— *Memoirs of the Life of Nicholes Poussin*, tradução do Francês, de De Rocca. London, 1820, in-8.

— *History of Spain*. — London, 1828, in-8.

E mais:

— Uma carta à Sociedade de Geologia a respeito do terremoto de que foi testemunha no Chile, em 1822.

— Uma descrição da Capela di Giotto, em Pádua, com desenhos de Sir Augustus Callcott, em 1835.

— *Essays towards the History of Printing*, 1836.

— Prefácio a *Seven Ages of Man* (Coleção de desenhos de Sir Callcott), 1840.
— *The little Brackenburners an Little Mary's from Saturdays*, 1841.
— A Scripture Herbal, 1842.

Maria Graham figura entre os coletores da *Flora Brasiliensis*, de Martius, com a lista de seus trabalhos botânicos e o itinerário de suas herborizações, que abrangeram, em 1821, Pernambuco, Bahia e Rio de Janeiro, e em 1823 Rio de Janeiro, caminho para Santa Cruz, op. cit., vol. I, parte I, ps. 30. Não se mencionam aí as suas contribuições de 1824 e 1825, ainda no Rio de Janeiro, Laranjeiras e fazenda do Macacú, de que há notícias no escrito agora publicado.

O Escorço biográfico de D. Pedro I foi começado logo após a morte desse monarca, em 24 de setembro de 1834, e concluído em julho do ano seguinte. É antes uma memória ou narrativa de sua permanência no Brasil, principalmente do que diz respeito às pessoas do Imperador, de sua primeira e admirável mulher e de sua filhinha primogênita.

A avaliar pelos trechos cancelados no manuscrito, é de supor que aquela memória não tivesse alcançado redação definitiva, com a disposição das matérias que devia prevalecer e a divisão em capítulos que se fazia necessária. Ainda assim, a escritora era tão senhora de sua arte, que a obra lhe saiu perfeita. São páginas de formoso acabado, que mesmo vertidas para outra língua, como foram fielmente, demonstram de modo flagrante o fino lavor da primitiva escrita.

D. Pedro ela descreve como um temperamento sujeito a explosões repentinas de paixão violenta, logo sucedidas por uma generosa e franca delicadeza, pronta a fazer mais do que o necessário para desmanchar o mal que pudesse ter feito, ou a dor que pudesse ter causado nos momentos de raiva. A natureza dotara-o de fortes paixões e de grandes qualidades. As circunstâncias revelaram estas, mas nem a educação, nem a experiência, quando sua conduta, como príncipe soberano, se tornou importante aos olhos do velho e do novo mundo, conseguiu domar as outras. O *seu casamento secreto* com uma dançarina francesa, que D. Carlota Joaquina só pôde desfazer quando D. Leopoldina já estava embarcada a caminho para o Rio, vem à colação para explicar a frieza com que a recebeu D. Pedro, que chegou a ser notada quando pela primeira vez apareceram juntos em público no Teatro Real, fazendo-se preciso que a rainha estivesse a todo momento a chamar sua atenção para que cuidasse da esposa.

Sobre D. Leopoldina, seu juízo repassado de piedosa simpatia é de tocante exaltação dessa mulher extraordinária, sua amiga queridíssima e às vezes sua confidente. Todo esse complexo de qualidades superiores de espírito e de coração, de inteligência e de bondade, a escritora salienta e analisa com palavras de comovida eloquência. Para ela o que se refere à Imperatriz é a parte mais interessante de sua narrativa.

De D. Maria da Glória, sua discípula e pupila por espaço de um mês e dias, conta alguns incidentes denunciadores de sua vivacidade. De certa vez em que lhe chamou a atenção para que imitasse as maneiras delicadas de sua mãe, a criança saiu-se com esta réplica: "Oh! Todo o mundo diz que eu sou como Papai, muito parecida!" Em outra ocasião, quando foi apresentada no Paço uma filha de D. Domitília de Castro, a princesinha recusou sentar-se à mesa com a que chamava a "bastarda"; o Imperador insistiu e ameaçou-a com uma bofetada, ao que ela se voltou orgulhosamente e disse: "Uma bofetada! Com efeito! Nunca se ouviu dizer que uma rainha, por direito próprio, fosse tratada com uma bofetada!"

É severo, mas tem todos os visos de verdadeiro, o quadro que traça da vida do Paço de São Cristóvão, animada por uma porção de intrigantes e aduladores, obedientes ao mando do barbeiro Plácido, indivíduo sobre todos antipáticos, e até desonesto, como alega; dos hábitos dessa gente sem a educação compatível com as funções que tinha, da canalha, como a qualificara a Imperatriz, sua descrição é bastante viva, mas deve merecer fé. Entre as damas do Paço salva-se apenas a camareira-mor, Marquesa de Aguiar, de família nobre, de excelente caráter e, para portuguesa, de boa educação. Excetua também o confessor, Frei Antônio de Arrábida, mas não conceitua o Padre Boiret, mestre de francês de D. Maria da Glória. Com relação a D. Domitília de Castro, depois Viscondessa e Marquesa de Santos, narra por informações o seu primeiro encontro com D. Pedro, e sua nefasta influência sobre o príncipe, que chegou a fazer da concubina camareira-mor da Imperatriz, quer dizer — conferia-lhe o direito de estar presente a todas as reuniões, acompanhar a Imperatriz por toda parte, assumir lugar de honra logo após Sua Majestade nas ocasiões públicas, festividades de igreja, teatros, etc. Onde falham venialmente suas informações, é na parte em que se referem à loja ou venda que tinha em São Paulo o pai de D. Domitília, e que fora nessa venda, espécie de café ou de taberna, que se hospedara D. Pedro, quando andou em excursão política pela província. D. Domitília, no Paço, contava com o Barbeiro contra os

Andradas, que eram amigos da Imperatriz. A autora alude à carta forjada pelo grupo oposicionista, que determinou o afastamento de José Bonifácio e seu irmão Martim Francisco do governo; no que não acertou foi em dizer que a carta tinha assinaturas, quando, de fato, era anônima. Foi o caso que o barbeiro figurou ter recebido essa carta, que denunciava uma conjuração do Apostolado contra o Imperador, juntamente com outra, em que se lhe dizia que sua vida corria iminente perigo, se não entregasse a primeira a Sua Majestade, em mão própria, no mesmo dia. No *Diário do Rio de Janeiro*, de 16 de julho, apareceu a seguinte declaração: "Plácido Antônio Pereira de Abreu faz saber que entregou a S. M. Imperial a Carta que recebera para lhe entregar no dia 15 de julho de 1823. *Plácido Antônio Pereira de Abreu*".

O plano diabólico surtiu o efeito esperado, como se sabe. Na mesma noite o Imperador, ainda maltratado da queda de cavalo que dera quinze dias antes, fechava em pessoa o Apostolado, e no dia subsequente os Andradas, José Bonifácio e Martim Francisco, eram demitidos de ministros. Os decretos de exoneração são dignos de ser rememorados, pelos termos elogiosos com que são referidos os serviços dos dois patriotas:

"Hei por bem Conceder a José Bonifácio de Andrada e Silva a demissão, que me pediu, de Ministro e Secretário d'Estado dos Negócios do Império e Estrangeiros; e terei sempre em lembrança o seu zelo pela Causa do Brasil, e os distintos serviços, que tem feito a este Império. Paço em 17 de Julho de 1823, segundo da Independência e do Império. — Com a Rubrica de Sua Majestade o Imperador. — *Caetano Pinto de Miranda Montenegro*. (Do *Diário do Governo*, Suplemento n. 18, de 21 de julho de 1823).

Hei por bem Conceder a Martim Francisco Ribeiro de Andrada a demissão, que Me pediu, de Ministro e Secretário d'Estado dos Negócios da Fazenda, e de Presidente do Tesouro Público; e Terei sempre em lembrança o seu zelo pela Causa do Brasil, e a exatidão com que administrou a Fazenda Pública. Paço em 17 de julho de 1823, segundo da Independência e do Império. Com a Rubrica de Sua Majestade o Imperador. — *Caetano Pinto de Miranda Montenegro", (Ibidem)*.

A José Bonifácio refere-se Maria Graham mais de uma vez como seu bom amigo, com palavras de amizade e admiração. Era um homem de raro talento, que à educação europeia acrescentara o que a experiência pudera proporcionar pelas viagens; estudou todas as ciências que imaginou seriam vantajosas aos interesses locais e comerciais do Brasil. Lia a maior parte das modernas línguas da Europa e falava várias delas com correção. Quando o conhecera, sua estatura naturalmente mediana diminuíra ainda, em parte pela idade e em parte por uma curvatura habitual. O segundo irmão Andrada, Martim Francisco, era um alto e belo homem, apaixonadamente orgulhoso de sua pátria, que havia estudado tudo o que pertencia ao departamento militar nas melhores escolas da Europa. O terceiro, Antônio Carlos, estudara Direito nas universidades portuguesas; era moreno, e tinha, mais do que os outros irmãos, o aspecto de português ou brasileiro.

Com a família de José Bonifácio mantinha Maria Graham relações amistosas antes de embarcar para a Inglaterra, nomeada governante de D. Maria da Glória; quando se despediu foi por ela delicadamente tratada, com o voto de que reduzisse a metade o tempo de sua ausência. Era pessoa de seu particular estima D. João Carlos de Sousa Coutinho, veador da Imperatriz; ao despedir-se dela também insistiu para que voltasse logo, dizendo-lhe que a falta de uma dama europeia nos aposentos da princesinha se tornava cada vez mais sensível. Infelizmente, em seu regresso, já não existia D. João de Sousa, o que lamentou sinceramente, porque era o seu melhor amigo no Paço. Essa perda e a expulsão dos Andradas do ministério e do país foram os acontecimentos mais desastrosos que se haviam verificado, enquanto esteve fora do Rio, tão ponderáveis que, se deles tivera notícia na Inglaterra antes de embarcar, de certo não arriscaria outra vez a travessia do Atlântico.

Da sociedade brasileira conheceu algumas famílias distintas, cujas relações teria cultivado mais diligentemente, se não fossem certos temores e ciúmes da colônia inglesa do Rio. Suas mais antigas amizades seriam com a família do Visconde do Rio-Seco. Uma filha do Visconde, cuja formosura e educação impressionaram o francês Tolenare das "*Notas Dominicais*", casada com Luiz do Rego, governador de Pernambuco, conhecera ali, em 1821, em sua primeira viagem; no Rio ter-se-ia apresentado à Viscondessa, que, como se viu, concorreu para sua entrada no Paço. À Viscondessa refere-se ela algumas vezes neste escrito.

Outra sua amiga, qualificada de excelente, era madame Lisboa, que lhe emprestara a casa de campo das Laranjeiras para sua residência, quando deixou o Paço. Madame Lisboa, D. Maria Eufrásia de Lima, era mulher do conselheiro José Antônio Lisboa, e mãe de Miguel Maria Lisboa, diplomata, depois barão de Japurá, e de Joaquim Marques Lisboa, marquês de Tamandaré. Quando a família Lisboa estava na chácara das Laranjeiras, nunca a escritora ficou sem a possibilidade do contato diário com algumas pessoas das mais importantes da sociedade fluminense. Com madame Lisboa, marido e filhas, empreendeu uma agradável excursão à fazenda do Macacú, de propriedade de uma irmã daquela senhora, na província do Rio de Janeiro. A descrição desse estabelecimento rural e da viagem feita para alcançá-lo é das páginas mais interessantes que aqui se deparam.

Para demonstrar, principalmente aos seus patrícios, que não estava em desgraça na corte, frequentava com assiduidade a casa da família do Ministro dos Negócios Estrangeiros, Luís José de Carvalho e Melo, Visconde de Cachoeira; avistava-se muitas vezes com a filha do Visconde, D. Carlota Cecília Carneiro de Carvalho e Melo, a quem confessou dever um maior conhecimento da literatura portuguesa, que de outra maneira não teria obtido. D. Carlota distinguia-se por seu talento e cultura: falava e escrevia bem o francês e fazia muitos progressos no inglês; desenhava corretamente, cantava com gosto e dançava com graça. Havia na família algumas senhoras gentis e amáveis, cujo convívio lamentou não haver melhor cultivado; eram as irmãs da Viscondessa — D. Mariana Eugênia, D. Maria Josefa, D. Luíza Rosa, D. Rosa Eufrásia e D. Francisca Mônica, da ascendência ilustre de Braz Carneiro Leão, desfrutante de grande prestígio social.

Da colônia estrangeira no Rio de Janeiro, visitava eventualmente três ou quatro famílias inglesas e uma ou duas francesas. Ao cônsul britânico Henry Chamberlain não manifesta neste escrito simpatia muito viva; o cônsul, aliás, no caso da apreensão de sua bagagem pela alfândega, por pirraça do Barbeiro e sua súcia, apesar de solicitado, excursou-se de assumir a atitude que lhe competia, com uma resposta fria e não demasiado polida. Seus principais amigos eram o barão de Mareschal, o almirante Grivel, comandante da estação francesa do Brasil, e o cônsul dos Estados Unidos, Condy Raguet e família; mantinha também boas relações com cerca da metade dos oficiais ingleses da estação. Outros notáveis personagens estrangeiros, residentes no Rio, como Sir Charles Stuart, Sir Robert Gordon, o almirante Sir George Eyre, comandante da estação, ou simplesmente de passagem, como Lorde e Lady Amherst, Lorde e Lady Byron, tributavam-lhe todos testemunhos de amizade.

Sobre a leviana Mme. de Bonpland, mulher do famoso botânico francês prisioneiro do dr. Francia, do Paraguai, que com seus encantos pessoais e suas intrigas políticas pretendia suplantar a favorita D. Domitília de Castro de Castro, os episódios que relata são em parte ainda desconhecidos nos pormenores aqui explanados; que não logrou sucesso em suas pretensões, informa Maria Graham, que a última coisa que ouviu a seu respeito foi que estava viajando no Pacífico com um oficial complacente.

Por tudo quanto fica sumariamente apontado nestas linhas o que se vai ler nas páginas seguintes apresenta aos estudiosos minúcias e novidades dignas de despertar sua atenção para essa fase da história do Brasil que, embora bastante versada, não dispensa para sua maior clareza os depoimentos que lhe possam trazer testemunhas fidedignas, com mais fortes razões quando o depoente, que vem a juízo, pertence à sublimada categoria de Maria Graham.

Algumas notas de pé de página se tornaram necessárias à explicação dos textos, por parte da própria autora, do tradutor e do editor. Quando seguidas da sigla A se devem entender que são da autora; de T, do tradutor, e de E. do Editor, que é o *infra* assinado.

Biblioteca Nacional, Janeiro, 1940.

Rodolfo Garcia
Diretor

MARIA GRAHAM — DOM PEDRO I

Esboço Biográfico

A biografia de D. Pedro I está feita com gosto, honestidade e equilíbrio por Otávio Tarquínio de Sousa. Mas sempre haverá revelações na sua vida. "Não era um príncipe de ordinária medida", disse dele Evaristo da Veiga, num julgamento póstumo, após tê-lo enfrentado tantas vezes durante o seu reinado.

Este escrito de Maria Graham, que o conheceu de perto, habitando no palácio na qualidade de aia da Princesa Maria da Glória tem um valor todo especial. Nele se revelam vários traços expressivos do caráter do Imperador. Sua publicação em forma de livro, incluindo a emocionante correspondência da autora com a Imperatriz Leopoldina é de vivo interesse para os estudiosos da nossa história.

Por coincidência estava eu presente no gabinete do Diretor da Biblioteca Nacional, o inesquecível historiador Rodolfo Garcia, quando lhe veio às mãos o volume contendo esses papéis da simpática inglesa que tão bem soube observar o Brasil na sua famosa viagem. Interessadíssimo pela documentação apresentada adquiriu-a o sábio pesquisador e, ato contínuo, incumbiu-me de traduzir o valioso códice para publicação nos *Anais*. Foi dos encargos mais honrosos e agradáveis que me couberam, tanto mais quanto a publicação é valorizada por notas preciosas do eruditíssimo diretor da biblioteca. Creio que não haverá quem não se interesse por um depoimento tão minucioso quanto verídico.

A sensível artista e escritora revela no escrito uma fortaleza de caráter que raramente se encontra. Mal sucedida em sua função de educadora por entraves encontrados na obsoleta organização da corte, não demonstra ressentimentos que a conduzam a maldizer a terra e a gente que a impediu de exercer uma nobre missão. A figura do Imperador, que não a salvou diante dos obstáculos, não é julgada com ânimo malévolo. Ela se apraz em narrar que após o rompimento ele demonstrou simpatia para com a antiga aia da filha, confirmando o que dele disse Luís Filipe: *un étourdi*.

A publicação desses documentos mereceu uma excelente recensão em artigo de Carlos Pontes no correio da manhã de 29 de outubro de 1940.

Mas o mais sério e exato estudo sobre a autora é o volume: *Maria Graham. Uma inglesa em Pernambuco nos começos do século* XIX, de autoria de Waldemar Valente, publicado no Recife em 1957.

Também a ela se refere largamente Gilberto Freyre em seu volume *Inglêses no Brasil* (Rio, 1948). No seu excelente estudo sobre *A gênese do espírito republicano em Pernambuco e a Revolução de 1817* (Recife, 1939) Amaro Quintas assinala "sua argúcia de fina observadora dos fatos e da mentalidade dos homens".

A divulgação desses preciosos documentos é mais uma benemerência que fica o Brasil devendo ao esclarecido editor que vem fornecendo aos estudiosos os mais preciosos elementos para a compreensão de nossa História.

Américo Jacobina Lacombe

CORRESPONDÊNCIA ENTRE MARIA GRAHAM E A IMPERATRIZ DONA LEOPOLDINA E CARTAS ANEXAS

NOTA

(Do punho de Maria Graham, em inglês)

Maria Leopoldina, Imperatriz do Brasil, signatária da maior parte das cartas deste volume, era filha de Francisco, Imperador da Áustria. Sua irmã, Maria Luiza, foi entregue a Napoleão, que, em má hora para si próprio, resolveu ligar-se a uma das antigas famílias reinantes da Europa, fortalecendo assim a opinião de que somente elas tinham direito de reinar. Pela mesma época havia ele compelido a Família Bragança a exilar-se. Aconteceu que uma das primeiras consequências da sua queda foi o casamento da irmã de sua mulher com o herdeiro dessa casa expropriada.

Dom João VI era Rei nominal de Portugal e soberano do Brasil, quando Dona Maria Leopoldina chegou ao Rio de Janeiro, sua capital. Quando a Família Real deixou Lisboa, a Rainha, mãe de Dom João (que era Rainha por direito próprio) ainda era viva, posto que alienada. O governo havia sido assumido por Dom João como Príncipe Regente, em nome de sua mãe.

Havia, pois, motivos mais fortes do que usualmente para manter o herdeiro, Dom Pedro, afastado e em absoluto ignorante de todos os negócios do Estado.

I

*Carta de Maria Graham à Imperatriz Leopoldina,
a 13 de outubro de 1823 — no Rio de Janeiro.*

Senhora,
Ainda que vivamente interessada em falar a Vossa Majestade Imperial com referência ao importante negócio iniciado ontem pela Viscondessa de

Rio-Seco[1], por sugestão, segundo ela me informa, do meu conterrâneo Sir Thomas Hardy[2], não sei se terei coragem de propor-me para uma tão árdua e importante posição.

Desde que se tratou disso, peço licença para assegurar a Vossa Majestade Imperial que é minha maior ambição tornar-me governante das Imperiais Crianças do Brasil. Que me seja perdoado agora falar de mim. Minha mais cara, direi mesmo, minha única ligação terrena se partiu quando perdi meu excelente e amado esposo na passagem entre Rio de Janeiro e a costa do Chile. Gosto imensamente de crianças e dedicaria todos os meus pensamentos ao meu encargo, se ele me fosse confiado, com o maior ardor, porque não tenho agora nem mesmo os apelos do dever para dividir meu coração ou pensamento.

Ofereço-me a Vossa Majestade Imperial, certa de que uma princesa tão perfeita deve ser a verdadeira diretora dos pontos principais da educação de suas filhas: mas posso prometer ser uma zelosa e fiel assistente. Vossa Majestade Imperial tem o direito de fazer as mais minuciosas investigações a meu respeito, de minha família, relações e caráter, e envaideço-me de que, na Inglaterra, onde sou realmente conhecida, tais investigações darão resultado satisfatório. Nada direi das aptidões e conhecimentos que deve possuir a pessoa tão altamente honrada em ser colocada tão perto das pessoas das jovens princesas: Vossa Majestade é um juiz competente e eu, de bom grado, confio na opinião de Vossa Majestade Imperial, e se houver algum ponto em que eu seja deficiente, ouso crer que o compensarei com o estudo, a que me levam os meus hábitos.

Caso o grande desejo de meu coração se realize, de ficar com as princesinhas, talvez seja vantajoso que eu vá à Europa escolher os livros e outras coisas essenciais para o desempenho da minha interessante missão, satisfazendo, assim, não só aos Augustus Pais de minhas discípulas, mas às esperanças desta nação, que olha para a Família Imperial como o Paládio do Estado, e que há de considerar como um encargo da maior responsabilidade a direção, em qualquer grau, da educação de seus filhos.

---

1. D. Mariana da Cunha Pereira, segunda mulher do Visconde do Rio-Seco, depois marquês de Jundiaí. Era filha do marquês de Inhambupe. — (E)
2. Sir Thomas Marterman Hardy (1769-1839), almirante inglês. Teve celebridade nas campanhas de Nelson, a cujas ordens imediatas serviu. Foi desde agosto de 1819 comandante em chefe da estação naval na América do Sul. Em Abril de 1834 foi nomeado governador do Hospital de Greenwich; vice-almirante em 10 de Janeiro de 1837. Faleceu em 20 de Setembro de 1839. (E)

II

Carta da Imperatriz Leopoldina a Maria Graham (em inglês)

São Cristóvão, 15 de outubro de 1823.

Senhora Graham.
Recebi vossa carta de ontem, à qual tenho o prazer de responder que Eu e o Imperador estamos ambos muito satisfeitos em aceitar o vosso oferecimento para ser governante de minha Filha; e como expusestes que desejais ir à Inglaterra antes de começar a servi-la, o Imperador não pôs dúvida em permitir-vos esta ida para agradar-vos e mostrar vos minha grande estima.
Vossa muito afeiçoada

MARIA LEOPOLDINA

No sobrescrito:
Para a Senhora Graham.
Rua dos Pescadores.

III

Carta de Maria Graham à Imperatriz Leopoldina (sem data)

Senhora
Tenho a honra de remeter com esta carta um exemplar do *Jornal de uma Residência na Índia,* que Vossa Majestade Imperial se dignou desejar possuir. Espero que não há de demorar muito a impressão de minha viagem ao Brasil. Terei então a honra de remeter um exemplar ao Rio de Janeiro para Vossa Majestade Imperial e espero que encontrará a aprovação de uma pessoa tão perfeitamente qualificada para julgá-lo. Eu tudo farei de modo a apresentar-me na corte Imperial no mês de outubro, quando termina a licença que gentilmente me foi concedida pelo Imperador. Entrementes, aplicar-me-ei com afinco em obter um perfeito conhecimento da linguagem portuguesa e em coligir todos os elementos, tais como livros em português, inglês, francês, que me permitam empreender a instrução das princesas imperiais com as melhores esperanças de ser bem-sucedida, para satisfação de seus augustos pais. Estou plenamente consciente da

grave incumbência que me foi confiada, e ouso prometer que farei tudo o que o zelo e o desencargo consciencioso do meu dever possam exigir, contando firmemente que Vossa Majestade Imperial me conceda a confiança que me dará autoridade aos olhos de minhas alunas. Isso é absolutamente necessário para que a pessoa incumbida da sua instrução possa ensinar com proveito.

Não consegui encontrar livros elementares de português, mas comecei a tradução de um, de lições bem fáceis para minha ilustre aluna, que pretendo fazer imprimir em bons tipos, pois penso que é exigir demais da criança que lute com mau papel e má impressão, além das naturais dificuldades do ensino.

Estou certa de que não precisarei desculpar-me, perante tão amorosa mãe, por escrever demais a Vossa Majestade Imperial sobre o assunto da primeira instrução. Ninguém estará mais convencido de que a beleza e utilidade do edifício dependem principalmente das fundações.

Permita-me exprimir minhas sinceras congratulações a Vossa Majestade Imperial e sua Majestade o Imperador pela crescente prosperidade do Brasil, de que ouço falar por toda parte. Que o Império progrida em todos os sentidos, de modo a ser digno de seus ilustres fundadores, são os mais vivos votos de...

IV

Imperatriz Leopoldina a Maria Graham (em português)

São Cristóvão, 10 de Maio de 1824.

Milady!
Com muito gosto recebi as suas duas cartas e ainda mais a certeza que está gozando de perfeita saúde e ocupada a escolher todos os objetos que são precisos para os estudos de minhas muito amadas filhas. As despesas que lhe são precisas a fazer, com muita satisfação eu lhe pagarei à sua chegada no Rio; que se é preciso prolongar a sua ausência mais de um ano, o Imperador o concedeu.

Eu comecei a ler a sua obra sobre a vasta e interessante Índia, que certamente é muito interessante e ocupa a intenção particular de todas as pessoas que amam as belas letras e história.

Esteja persuadida da minha particular estima e amizade, com as quais eu sou.

Sua muito afeiçoada

LEOPOLDINA

No sobrescrito:
À Milady Graham
A Londres
(Com um selo em lacre com as armas imperiais do Brasil e da Áustria unidas)

V

Maria Graham à Imperatriz Leopoldina

Nota (de Maria Graham) — A carta da Imperatriz, datada de 10 de Maio de 1824, foi, por um momento ou outro, retida, ou pelo Sr. May[3] ou pelo Senhor Young[4], que se atribuíram a culpa mutuamente, até muito tempo depois da minha chegada ao Brasil pela segunda vez. Se a tivesse recebido, teria retardado minha viagem e, com toda a probabilidade, teria declinado dela também, pois os dois enviados que me procuraram neste país, foram tão indelicados que eu comecei a sentir-me pouco confortavelmente diante da ideia de ir para a terra deles. Mas, ignorando a completa mudança de política e o exílio dos Andradas, não podia prever certas dificuldades com que teria de lutar. Remeti a nota seguinte, juntamente com o meu *Chile e Brasil* e embarquei pouco depois, como prometera.

Senhora.

Tenho a honra de remeter a Vossa Majestade Imperial pelo paquete deste mês os dois trabalhos que foram o fruto de minhas últimas via-

---

3. Esse senhor May era um dos sócios da firma May & Lukin, agentes e procuradores bastantes de Lorde Cochrane, primeiro almirante e comandante em chefe das forças navais do Império, quanto às questões das presas marítimas. *Diário Fluminense*, 10 de Julho de 1824. A firma figura nas relações dos negociantes estrangeiros do *Almanack do Rio de Janeiro*, nos anos de 1823 a 1827; era estabelecida à rua do Ouvidor, n. 77. (E)
4. Guilherme Young era banqueiro e negociante inglês no Rio de Janeiro. Residia no Morro do Inglês, nas faldas do Corcovado, o qual a essa circunstância deveu a nominação. Young foi estabelecido nas ruas do Ouvidor, Detrás do Carmo e Detrás do Hospício, como se vê nas relações dos negociantes estrangeiros do *Almanack do Rio de Janeiro* nos anos de 1823 a 1827. Por aviso da Repartição dos Negócios da Marinha, de 22 de Dezembro de 1824, foi aprovada a compra de coronadas e balas feita pelo vice-almirante Intendente da Marinha ao negociante Guilherme Young, que as tinha em depósito na Ilha das Cobras. *Diário Fluminense*, de 15 de Janeiro de 1825. (E)

gens, na esperança de que, indignos embora da atenção de Vossa Majestade Imperial, possam ser recebidos com indulgência, como uma oferta do meu grato respeito. Pretendo embarcar da Inglaterra pelo paquete de julho, de modo a cumprir o meu compromisso para com Vossa Majestade Imperial e o Imperador. Confio que Vossa Majestade Imperial achará em mim, ao menos, uma fiel e diligente professora para a princesa imperial. Sou, Senhora, com o mais profundo respeito[5].

Carta de John London a Maria Graham (em inglês).

Rio.

Prezada senhora

Lamento ter que dizer-vos com referência aos vossos desejos quanto ao capitão Mends, que ele considera o negócio envolvido em muitas dificuldades. Além da sua completa falta de acomodações apropriadas para uma senhora e de toda conveniência para a bagagem, sente ele grandes embaraços da parte do governo deste país, não somente aqui, mas no porto em que quiserdes desembarcar, à vista de que, após ter dedicado à matéria madura consideração foi ele obrigado, mau grado sua boa vontade, a desejar que eu apresentasse suas desculpas. Desejaria, de coração, que o resultado de meus esforços fosse diferente e o Capitão Mends não deixa de estar bem penosamente sentido com o fato, mas como pareceu que a vossa intenção era ver Lord Cochrane, imagino o desapontamento que teríeis na vossa chegada à Bahia ou Pernambuco, ao descobrir que ele havia partido para o Rio, já que corre com insistência que foi reconvocado. Eu estou ocupado mais que de costume, aliás, terme-ia honrado em procurá-la, como prometi, sendo,

prezada senhora,
muito sinceramente vosso

JOHN LONDON

— 11 de outubro — [1824]

5. Seguem-se várias páginas em branco, em que provavelmente devia Maria Graham narrar a sua chegada ao Rio e, em seguida, explicar os motivos pelos quais exerceu por tão pouco tempo as suas funções junto à Família Imperial. (T)

Carta de Maria Graham a Jonh London

NOTA (de Maria Graham) — Minha resposta, demasiado áspera, foi a seguinte:
Prezado senhor
Nunca fiquei tão surpreendida como ao receber vossa nota. O Capitão Mends[6] que trouxe o Sr. e a Sra. Hayne e suas bagagens, sem acomodações para uma senhora e sua bagagem para um lugar tão distante quanto a Bahia!
Um oficial inglês temeroso, relativamente a qualquer governo, de proteger uma filha de oficial e viúva de um seu colega — Que vergonha! Se fosse possível imaginar isso em vida de *meu* marido ou de *meu* pai!
Não vos preciso lembrar que não sou uma fugitiva, correndo do país — mas uma súdita britânica, retirando-se de um serviço que não lhe convém.
Mas nada mais direi, para testemunhar à Providência, que até agora me protegeu, que enquanto merecer proteção, esta nunca me faltará.
Sou, senhor, etc.

Imperatriz Leopoldina a Maria Graham,
no Rio de Janeiro — (em francês)

I

Minha querida amiga!
Recebi vossa amável carta, e crede que fiz um enorme sacrifício, separando-me de vós; mas meu destino foi sempre ser obrigada a me afastar das pessoas mais caras ao meu coração e estima. Mas, ficai persuadida que nem a terrível distância, que, em pouco vai nos separar, nem outras circunstâncias que eu prevejo ter de vencer, poderão enfraquecer a viva amizade e verdadeira estima que vos dedico, e que procurarei sempre, com todo o empenho, as ocasiões de as provar. Ouso ainda renovar-vos meu oferecimentos, se é que vos posso ser útil. Aceitando-os, vireis ao encontro dos meus desejos e contribuireis para me fazer feliz.

---

6. Esse capitão Mendes comandava a fragata inglesa Blanche, que entrou no porto do Rio de Janeiro em 21 de agosto de 1824, procedente de Plymouth por Lisboa com 35 dias de viagem, passageiros: um inglês e sua mulher. — *Notícias Marítimas do Diário Fluminense*, 4 de setembro). Permaneceu aqui até 20 de outubro, quando saiu para Bahia e Pernambuco. — *Diário* citado, 22. Nessas notícias o nome Mends ocorre erradamente *Minder*, corrigido em outra viagem da *Blanche* — *Diário Fluminense*, 20 de agosto de 1825). — (E.)

Assegurando-vos toda a minha amizade e estima, sou,
Vossa afeiçoada

MARIA LEOPOLDINA

São Cristóvão, 10 de Outubro de 1824

P.S. — Neste momento entregam-me livros que me serão de grande utilidade para minha bem amada Maria. Tereis a bondade, em Londres, de me obter os gêneros e espécies que faltam no catálogo de conchas que vos envio, comunicando-me os objetos de história natural que quiserem do Brasil, para fazer a permuta.

No sobrescrito:
À Madame Graham

II

Nota[7] *Cópia da carta n. 2 da Imperatriz (o original foi dado ao Sr. Dawson Turner).*

Minha queridíssima amiga!

Fiz dizer ao Juiz da Alfândega[8] que vos remetesse vossas malas e que ele havia obrado muito mal, e contra as leis que garantem a propriedade particular de ser apreendida. Assegurando-vos toda a minha amizade e estima, sou

vossa afeiçoada

MARIA LEOPOLDINA

São Cristóvão, 11 de Outubro de 1824.

P.S.[9] — Se quiserdes, incumbirei meu Secretário Sr. Flack, que mora à rua da Misericórdia, de vos remeter no momento vossas coisas.[10]

---

7. Do punho de Maria Graham. (T)

8. O juiz da Alfândega era o conselheiro José Fortunato de Brito Abreu Sousa e Meneses, que exercia o cargo interinamente, por ordem de S. M. o Imperador; residia em Matacavalos, como tudo se vê no *Almanak do Rio de Janeiro*, nos anos de 1824 e 1825. (E)

9. Do punho da Imperatriz. (T).

10. No original: "Si vous voulez (sic) chargée mon secretaire Mr. Flack... de vous faire remettre dans l'instant vos effets". (sic) (T)

III

Minha queridíssima amiga!
Apresso-me em informar-me de vossa saúde e ao mesmo tempo de vos dizer como estou satisfeita por vos ter sido útil, o meu Secretário. Eis que não se passa um momento sem que eu não lamente vivamente ter-me privado de vossa companhia e amável conversação, meu único recreio e verdadeiro consolo nas horas de melancolia, à qual infelizmente tenho demasiados motivos para estar sujeita.
Assegurando-vos toda a minha amizade e estima,
sou
Vossa afeiçoada
       MARIA LEOPOLDINA

No sobrescrito:
 À Madame Graham.
  Rua dos Pescadores

IV

Minha queridíssima amiga!
Eis um período de tempo bem penoso para mim. Não pude seguir os impulsos de meu coração e saber notícias de vossa saúde. Mas aqui, infelizmente, *certas pessoas* não satisfeitas de me terem privado de uma amiga que me era duplamente cara, educando-me as filhas adoradas, e dessa maneira aliviando meu coração e meu espírito de um fardo, para sustentar o qual não sinto nem forças nem instrução para cumprir eu mesmo este doce dever, sendo vós tão capaz de auxiliar-me a suportá-lo, fazendo de meus queridos filhos membros úteis à sociedade pelos seus talentos e qualidades morais; ainda acham de me espionar para me amofinar e provocar-me aborrecimentos. É preciso resolver-se a ser uma mártir de paciência.
Quantas vezes, com saudades, penso em vossas conversas diárias, persuadindo-me com a esperança de vos rever ainda na Europa, onde nenhuma pessoa no mundo será capaz de me forçar a deixar de vos ver diariamente de dizer, de viva voz, que sou, para toda a vida,

vossa amiga afetuosa e dedicada

MARIA LEOPOLDINA

São Cristóvão, 4 de novembro de 1824.

P.S. — Peço-vos que me perdoeis, com vossa indulgência do costume, a má letra. Mas minha pobre cabeça anda confusa e escrevo estas palavras no jardim, onde não sou observada.

No sobrescrito:
A Madame Graham
Rua dos Pescadores

V

Minha queridíssima amiga. Se eu estivesse persuadida de que a vossa permanência pudesse ter alguma consequência aborrecida para vós, seria a primeira a vos aconselhar a deixar o Brasil. Mas, crede-me, minha delicada e única amiga, que é um doce consolo para meu coração, saber que habitais ainda por alguns meses o mesmo país que eu.

Ao menos, quando uma imensa distância, que o meu destino não permite transpor, me separar de vós, eu me resignarei, com a doce certeza que a nossa maneira de pensar é a mesma, e a nossa amizade constante para sempre. Ficai tranquila quanto a mim; estou acostumada a resistir e a combater os aborrecimentos, e quanto mais sofro pelas intrigas, mais sinto que todo o meu ser despreza estas bagatelas. Mas confesso, *e somente a vós*, que cantarei um louvor ao Onipotente, quando me tiver livrado de certa *canalha*.

Assegurando-vos toda a minha amizade, que vos seguirá por toda parte onde eu estiver.

vossa afeiçoada

MARIA LEOPOLDINA

São Cristóvão, 6 de novembro de 1824
No sobrescrito:

À Madame Graham
Rua dos Pescadores

VII [11]

Minha delicadíssima amiga! Não gosto nunca de lisonjear, mas posso assegurar-vos que somente em vossa cara companhia, torno a encontrar os doces momentos que deixei com minha amada e adorada pátria e família. Só as expansões no coração de uma verdadeira amiga podem promover a felicidade.

Aguardo com a maior impaciência a certeza de que estais completamente restabelecidas; ouso rogar-vos, como amiga que se interessa realmente por tudo que vos diz respeito, espereis que eu promova uma ocasião em que possais ver meus filhos, pois, por tudo deste mundo, quero vos evitar serdes tratada grosseiramente por certas pessoas, que cada vez me são mais insuportáveis.

Fico sossegada e cai-me um grande peso do coração, por saber que fizestes chegar a vossa opinião ao vosso insuperável e respeitável *compatriota*, o qual, creio que infelizmente só tarde demais será estimado, como merece. Ao menos fica-me, a mim a satisfação de não o ter jamais prejudicado.

Minha cara e muito amada Amiga, jamais, crede-me, ousaria ofender vossa delicadeza. Mas, como amiga, e amiga que partilha sinceramente vossos prazeres e tristezas, podendo imaginar que sofreis privações, ouso rogar-vos que aceiteis como um presente de amizade esta pequena ninharia de dinheiro que provém de meu patrimônio na minha cara Pátria. É pouca coisa, mas, infelizmente minha situação não me permite, tanto quanto desejo, ajudar-vos a obter algumas comodidades.

Ouso rogar-vos, já que tendes mais possibilidades que eu, que fui exportada para este país de ignorância, que me cedais as *Memórias de Literatura Portuguesa* e os *Documentos sobre Cristovão Colombo*[12], que seriam de grande utilidade para mim mesma.

Eis que chamam. Deixo-vos com muito pesar, assegurando-vos toda a minha amizade.

---

11. Há uma folha em branco, onde deveria estar colada a carta VI. — (T).

12. *Memórias de Literatura Portuguesa*, publicadas pela Academia Real das Ciências de — Lisboa. Lisboa, na Off. Da mesma Academia, 1792 a 1814, 8 tomos in-4. Colombus: *Memorials on a Collection of authentic Documents of that celabrated Navigator, now first published from the original Manuscripts, by order of the Decurion of Gensa: preceded by a Memoir of his Life, translated from the Spanish and Italian.* — Londres, 1824, in-8 gr. — (E)

Sou vossa muito afeiçoada

LEOPOLDINA

São Cristóvão, 1 de março de 1825.

À Madame Graham
nas l'Arangeiras (sic)

VIII

Minha querida amiga! Apresso-me em saber notícias de vossa saúde, que é para mim tão preciosa e rogar-vos que me envieis pelo mesmo rapaz que vos leva esta carta, os livros.

Assegurando-vos minha amizade inalterável, sou
vossa muito afeiçoada

LEOPOLDINA

(*Nota de Maria Graham:* Recebida e respondida — 2 de Março de 1825)

IX

Minha querida e delicada amiga!

Não posso furtar-me ao prazer de vos afirmar ainda, toda a minha amizade, rogando-vos acreditar que estimaria dar-vos sempre provas de quanto vos quero e estimo. Tende a bondade, chegando à nossa querida e adorada Europa, de fazer chegar a carta junto à minha bem-amada irmã. Quantos aos livros, fio-me em vossa escolha, sabendo vós, sábia que sois, parecia-lhes melhor o mérito. Se virdes o digno *Cary*, rogo-vos encomendar, em meu nome, uma *balança mineralógica* para saber o peso das pedras preciosas.

Assegurando-vos minha inalterável amizade, sou
vossa afeiçoada

LEOPOLDINA

São Cristóvão, 8 de setembro de 1825

P.S. — Dos cabelos de minhas filhas mandei fazer uma pequena medalha, que remeterei, quando estiver pronta, para a Inglaterra.

No sobrescrito:
Para Madame Graham

Sir Charles Stuart a Maria Graham (em inglês)

8 de setembro de 1825

Minha cara Sra. Graham[13]

Remeto-lhe os dois papagaios e a Senhora Chamberlain lhe remeterá alguns *presentes* para Lady Elisabeth[14].

Se desenhardes pelo caminho, juntai a vista do Rio à vossa excelente coleção, que ficará completa.

Espero que quando a virdes dir-lhe-eis que o clima do Rio não é o que parece.

Desejo-lhe boa viagem.

Muito grato,

C.STUART[15]

13. Estão coladas antes umas folhas em branco, onde, provavelmente, Maria Graham pretendia narrar a sua saída do Brasil. (T)

14. Esposa do signatário desta carta, Lady Elisabeth Margaret, filha de Philipe Yorke, conde de Hardwicke. Em uma passagem *Récits d'une tante. Mémoires de la comtesse de Boigne, née D'Osmond*, publicado segundo o manuscrito original por Charles Nicoullaud, vol. II, ps. 148/151 (3ª. Edição, Paris, Plon-Nourrit & Cie. 1907), a condessa narra o *traitement* de que foi objeto Lady Elisabeth, cerca de 1820, quando seu marido era embaixador da Inglaterra na corte de Luiz XVIII. O rei da França não podia baixar-se até receber uma embaixatriz, mas consentia, conforme tradição, em encontrá-la, como por acaso, durante a visita que fizesse às Tulherias: era isso o que, em linguagem da corte, se chamava um *traitement*. Convencionou-se que Lady Elisabeth visitasse a duquesa de Angoulême, que na ocasião estaria acompanhada de uma dúzia de senhoras tituladas; o rei devia chegar e, aparentando surpresa, dizer à sobrinha: "Madame, je ne vous savais pas en si bonne compagnie". Tal era a necessidade (escreve madame de Boigne, testemunha da cena pela situação de seu pai na Inglaterra), que se repetia, em semelhantes circunstâncias, desde os tempos de Luiz XIV... A embaixatriz, em companhia do marido, de algumas damas inglesas e das francesas, que tinham assistido à recepção, jantou nessa tarde na corte das Tulherias, mas em mesa à parte das pessoas reais, separada por um biombo. A condessa de Boigne não podia conceber a razão por que, quando os soberanos estrangeiros recebiam à sua mesa os embaixadores de França, consentiam que seus representantes suportassem a esse ponto a arrogância da família Bourbon. (E)

15. Sir Charles Stuart (1779-1845), diplomata inglês. Encarregado de negócios em Madrid em 1808; em 1810, enviado extraordinário em Portugal, onde teve por seus serviços os títulos de conde de Machico e marquês de Angra; conselheiro privado em 1812, ministro na Haia em 1815-1816. Em 1825 foi ministro mediador por S. M. Britânica e plenipotenciário por D. João VI para o reconhecimento de Independência do Brasil. Foi feito barão Stuart de Rothesay na ilha de Bute. Faleceu em 6 de novembro de 1845.

Carta de R. Gordon a Maria Graham (s.D.)

Prezada Sra. Graham[16]
Esperei encontrar-vos em casa antes de deixar estas plagas a fim de agradecer-vos pelos vossos amáveis votos e para dizer-vos que tomarei aos meus cuidados vossas cartas e bagagens.
Considerai-me sempre às vossas ordens no Rio e crede-me sempre fiel.

R. Gordon[17]

Carta de Mareschal a Maria Graham (em francês)

Senhora,

Recebi regularmente, de Portsmouth, as três cartas com que houvestes por bem honrar-me, e apressei-me em remeter as que elas continham ao seu alto destino. Tenho o prazer de remeter-vos a resposta que, envaideço-me, vos será agradável. A Imperatriz incumbiu-me de acrescentar que ela ficou muito sensibilizada com vossa lembrança, e que não deveis atribuir a bre- vidade de sua carta senão aos embaraços da partida.

Vossos desejos com referência ao Sr. Shepherd e aos oficiais da *Piranga*, foram atendidos, já que ele conservou o comando daquela unidade[18]. Quanto a L.C. fala-se aqui nele, tanto quanto se ele jamais houvesse existido, o que prova que não há ressentimentos.

Foi apaixonado bibliófilo; seus livros e manuscritos, dos mais raros e seletos, de particular interesse para a Espanha, Portugal e Brasil, estão descritos no *Catalogue of the valuable Library of the late right honourable Lord Stuart of Rothesay, including many iluminated and important Manuscripts, etc.*, para a venda pública em leilão, que começou em 31 de Maio de 1855 e continuou pelos dias seguintes, excetuando os domingos. O exemplar desse *Catalogue*, pertencente à Biblioteca Nacional, contém à margem, por letra manuscrita, os preços por que foram os livros vendidos. *A Arte da Grammatica da Língua Brasílica da naçam Kariri*, do padre Luiz Vincencio Mamiani (n. 3903), com a nota "very scarce", foi vendida por £5, 15 s. (E)
16. Foi escrita a lápis e, posteriormente, coberta com tinta. (T)
17. Sir Robert Gordon (1791-1847), diplomata inglês. Em 1810 foi nomeado adido à Embaixada da Pérsia e logo depois secretário da Embaixada na Haia. Com o duque de Wellington, ministro plenipotenciário, serviu em Viena em 1815, 1817 e 1821. Em outubro de 1826 veio para o Brasil como enviado extraordinário e ministro plenipotenciário e serviu de mediador na negociação do Tratado de 27 de Maio de 1827, entre o Brasil e as Províncias Unidas do Rio da Prata. Passou depois para Constantinopla e para Viena, como embaixador extraordinário. Faleceu subitamente em Balmoral, em 8 de Outubro de 1847. (E)
18. James Shepherd chegou ao posto de capitão de fragata, e na expedição a Carmen de Patagônia perdeu a vida em combate, no dia 7 de março de 1827. (E.)

Estou encantado por saber que vos encontrais enfim feliz e contente. Estava certo de que isso aconteceria e é por isso que vos vi partir com prazer, apesar do vácuo que nos ficava aqui. Não poderíeis ser feliz no Rio de Janeiro, porque estáveis numa falsa posição, da qual devíeis apressar-vos em sair. Estou persuadido de que agora concordareis em que eu tinha razão. O Palácio não poderia vos convir e o resto da sociedade ainda menos.

S.S.M.M. e a Princesinha foram à Bahia. A Viscondessa de Santos (Domitila) faz parte do séquito[19]. Todo o mundo está assim contente, sobretudo eu, por lá não estar. Aborreço-me à vontade, esperando. É uma função para a qual fui feito.

---

19. Do *Diário Fluminense*, de 4 de Fevereiro de 1826:

"Ontem, 3 do corrente, ficou esta Capital privada temporariamente de nossos Adorados Soberanos, que, na forma por nós já anunciada, partirão para a Província da Bahia a bordo da Náu D. Pedro I, levando em sua companhia S.A.I. a Sra. Princesa D. Maria da Gloria. SS. MM. II. Embarcarão no dia 2, pelas 5 horas da tarde. Acostumados desde longos anos os habitantes desta Capital a gozarem de Sua vivificante presença um grande número de pessoas das classes mais distintas, antes de romper a Aurora se dirigirão a bordo da Náu, que leva em seu seio todas as nossas esperanças, e os objetos mais caros a nossos corações, para terem a honra de beijar a Mão Tutelar a quem devemos não só o repouso de que gozamos, com nossa existência política; e a seus pés manifestar o sentimento que lhes causa esta temporária separação. Se alguma coisa é capaz de aumentar a majestade, e a ternura desta cena, e sem dúvida o lugar em que ela se passou, e a magnificência do quadro animado que a arte dos homens de balde tentaria imitar.

"Apenas rompeu a Aurora, a Esquadra, comandada pelo Vice-Almirante Barão de Souzel, com as Gáveas largas esperava ordem de partida. A Tolda da Nau estava cheia das principais personagens da Corte; uma multidão de escaleres a cercavam; o Estado Maior do Exército, Comandantes de Brigadas, e Corpos, grande número de Empregados Públicos, e mais pessoas distintas consideravam com ternura e respeito a depositaria de um tão precioso Tesouro. S. M. o Imperador, Sua Augusta Esposa, e Filha de pé, em cima do tombadilho pareciam deleitar-se com as provas de amor, e fidelidade que lhes dava seu querido povo. O estrondo das salvas de todas as fortalezas, as brilhantes sinfonias que simultaneamente tocavam as bandas de música, contribuíam sobremaneira à beleza, grandeza, e magnificência deste espetáculo. Apareceu finalmente o Sol com toda a sua pompa, deu-se o sinal da partida, e de pronto a Nau largou a amarração sobre que estava, com tal presteza, e boa ordem que jamais deixará de fazer honra aos Oficiais disso encarregados: logo pegaram os reboques, e ajudada de maré, e ligeiro vento: rapidamente passou a Fortaleza de Santa Cruz, onde se postou toda a guarnição, que rompeu em grandes aclamações de vivas a SS. MM. II. Entretanto se fez de vela a Fragata Francesa — *Arethusa* — comandada pelo Comodore Gautier, que ambicionando dar mais uma prova do bem conhecida polidez Francesa havia pedido a S. M. I. a honra de o acompanhar nesta digressão. S. M. o Imperador, sensível a uma tal demonstração de justo respeito, se Dignou Anuir aos desejos do Comodore Gautier. Ao mesmo tempo as duas Fragatas Nacionaes Piranga, e Paraguassú se fizeram de vela, e pela boa execução de suas manobras, e aparência verdadeiramente militar provaram o que é já, e virá a ser a Marinha do Império."

"Têm a honra de acompanhar a SS. MM. II. as seguintes pessoas:
Damas:
Exmas. Viscondeças de Santos, de Itagoahi, e Lorena, e Baronesa de Itapagype.
Gentis Homens:
Exmos. Barão de S. Simão, e José de Saldanha da Gama.
Vedor:
Exmo. Visconde de Lorena.
Capitão da Imperial Guarda de Archeiros:

Os Ch. estão quase estabelecidos na Tijuca. Após os calores, são evitados na casa dos Lesieurs. Tenho-os visto muito pouco de dois meses pra cá, e a pupila não a vejo absolutamente. O que me contastes por ocasião da excursão ao Corcovado me pôs ainda um pouco mais de sobreaviso, ainda que, na verdade, o perigo seja nulo. Todo o resto do mundo vai na mesma, não há realmente nada que contar.

Quanto a mim, senhora, estou ainda numa incerteza assaz dolorosa quanto ao meu futuro e ignoro ainda o que será feito de mim. Se estiver destinado a rever a Europa, a primeira coisa que farei ao chegar a Londres será certamente procurar-vos, onde quer que estiverdes e agradecer-vos pessoalmente todas as provas de amizade que houvestes por bem me fornecer.

Exmo. Visconde de Cantagalo.
Viadores:
Exmo. José Alves Ribeiro Cirne.
Ildefonso de Oliveira Caldeira.
O Exmo. Tenente General Visconde de Barbacena às ordens de S. M. o Imperador.
Ajudantes de Campo:
Exmo. Barão do Rio Pardo.
Exmo. Brigadeiro José Joaquim de Lima e Silva.
3 Açafatas.
3 Guarda Roupas.
O Mestre de S. A. I. o Ilmo. Comendador Boiret.
O Oficial do Gabinete de S. M. I. o Ilmo. Francisco Gomes da Silva.
O Conselheiro Cirurgião Mor do Império.
O Coronel Manoel Ferreira de Araújo Guimarães, às Ordens de S.M.I.
O Médico da Imperial Câmara.
O Oficial da Secretaria de Estado dos Negócios da Marinha Padre José Cupertino.
30 Soldados da Imperial Guarda de Honra.
3 Retretas.
6 Oficiais, e 60 Soldados do Batalhão de S. Paulo que fazem a Guarda de Estado.
2 Criados particulares.
4 Reposteiros.
3 Porteiros da Cana.
1 Boticário.
5 Ordenanças.
1 Correio do Gabinete.
2 Varredores.
16 Criados da Mantearia.
1 Sargento, e 12 Soldados da Imperial Guarda de Archeiros.
20 Criados da Ucharia.
15 Criados das Cavalariças." — (E.)

Sir Ch. Stuart fez uma viagem a Pernambuco, Bahia, Santa Catarina, Santos, São Paulo, etc. e voltou a tempo de chegar atrasado, duas horas após a partida da corte. Mas vai segui-la imediatamente. L.M.* joga o Whist e prefere o Sr. Rio-Seco a todos os belos olhos do *mundo*.

Eis muita conversa fiada. Mas, que quereis que escreva daqui, senão temos nem mesmo Cole para distrair-nos? É melhor, pois, terminar, rogando-vos, senhora, que creiais em minha sincera e inalterável dedicação.

MARESCHAL [20]

Cartas da Imperatriz Leopoldina a Maria Graham (em francês)

Para a Europa

I

Minha queridíssima amiga!

Fui muito agradavelmente surpreendida quando o nosso excelente amigo, o Barão de Mareschal, me entregou duas amáveis cartas vossas. Crede-me, minha dedicada e digna amiga, que sinto vivamente o sacrifício que impus ao meu coração que sabe apreciar as doçuras da amizade, separando-me de vós. É um verdadeiro consolo para minha alma, e me ajuda a suportar mil dificuldades que se me opõem, saber que tenho tantas pessoas que se interessam pela minha sorte.

Estou à vontade para poder vos certificar que o bom Shepherd foi aproveitado no mesmo posto em que o Marquês o enviou. Minha cara amiga, ficai persuadida de que desejo encontrar ocasiões para dar-vos provas de minha amizade e sincera estima.

* Lorde Marcos Hill, secretário de Stuart. (?) (T).
20. Mareschal, Felipe Leopoldo Wenzel, barão Von (1784-1851). Descendente de antiga família da Turíngia, foi educado na Academia Militar de Viena. Fez a campanha de 1805, na qual se distinguiu e alcançou o posto de capitão; foi em seguida adido à legação austríaca em São Petersburgo: militou de novo na campanha de 1813, como major de Hussardos, sendo adido ao quartel-general da Prússia; até abril de 1819 conservou-se em Paris, junto ao duque de Wellington. Nomeado Encarregado de negócios da Áustria no Brasil, chegou ao Rio em 23 de Setembro daquele ano; foi elevado a ministro plenipotenciário a 17 de fevereiro de 1827, e aqui permaneceu até junho de 1830; em 1832 foi promovido a general e nomeado enviado extraordinário em Parma, de onde foi removido para os Estados Unidos. Em 1840 promovido a tenente-general e no ano seguinte nomeado ministro plenipotenciário em Lisboa, onde ficou até 1847, retirando-se nesse ano à sua vida privada. Faleceu em Marburgo, a 28 de dezembro de 1851. Sua correspondência diplomática com o príncipe de Metternich, relativamente aos acontecimentos brasileiros, que de perto precederam à Independência a aos que a ela se seguiram até 1830, é das melhores fontes da história desse período. (E.)

O pobre *Cary*! A ciência da mecânica teve a maior perda neste bravo e hábil mecânico. Será difícil substituí-lo[21]. Espero com bastante impaciência a balança mineralógica que me é indispensável para examinar o peso das pedras preciosas, único meio de saber a que classe elas pertencem.

O Macaco do Brasil, representado em Paris, parece-me provar a leviandade do caráter da nação francesa, que dá tanta importância a tais ninharias.[22] Remeti a lista de conchas para que os professores saibam quais as que possuo, poupando-vos o incômodo de vo-las enviar uma segunda vez. Desejo principalmente as da Índia, Ilha de Ceilão, Nova Holanda e Molucas.

Sir Charles Stuart deixou-nos para visitar as Províncias do Norte, mas nos fez um pouco ouvir as novidades da Europa. Chegaram três paquetes com despachos destinados à sua pessoa, que não podem ser abertos senão quando voltar, Deus sabe quando isso se dará. Depois de amanhã embarco para a Bahia com o meu bem amado esposo e minha adorada Maria, que faz as minhas delícias pelo seu excelente caráter e aplicação nos estudos. Pretendemos voltar ao Rio de Janeiro pelos meados de abril, já que o Imperador prometeu instalar a Assembleia Constitucional no dia 3 de maio.

Adeus, minha muito cara e respeitável amiga. Ficai persuadida da sincera e inalterável amizade com que sou

vossa afeiçoada

LEOPOLDINA

São Cristóvão, 2 de Fevereiro de 1826.

21. William Cary (1759-1825), fabricante de instrumentos matemáticos. Foi discípulo de Ramsden, de quem logo se separou para trabalhar por conta própria. Em 1791 construiu para o dr. Wollaston um trânsito circular, de dois pés de diâmetro, provido de microscópios graduados, que foi o primeiro que se fabricou na Inglaterra. Em 1805 enviou para Moscou outro trânsito, desenhado e descrito na *Practical Astronomy*, de Pearson, vol. II, os. 363/365. Um círculo de 41 centímetros encomendado por Feer, cerca de 1790, é ainda conservado no Observatório de Munich. De sua fábrica são ainda os instrumentos de altitude e azimut, de 2 ½ pés, com os quais, Bessel iniciou suas experiências em Königsberg, bem como um sem-número de sextantes, microscópios e telescópios refletores e refratores. Em posse da Naturforschende Gessellschaft, de Zurich, está o catálogo dos instrumentos por ele vendidos, em Strand, 182, Londres. Seu nome aparece na primeira lista dos membros da Astronomical Society. – Conf. The Dictionary of National Biography, vol III, os. 1162, Oxford University Press, s.D. (1917). Na carta de 8 de setembro de 1825, a Imperatriz se refere a Cary; na de 2 de fevereiro de 1826 lamenta sua morte, ocorrida em 16 de novembro do ano transato; na de 22 de outubro acusa a recepção da balança mineralógica, por intermédio de Sir Robert Gordon. (E)

22. Essa peça, a que a Imperatriz se refere com indignação, deve ser *Sapajou*, ou *Le Naufrage des Singes* — folie em deux actes, mêlée de pantomine et de dance. Représentée sur Le Théâtre de La Gaité, Le 3 août 1825. — Paris, Bezou, 1826, in-8. O autor é Frédéric Du Petit-Mèrè (1785-1827), que apenas nessa peça, naturalmente encomendada para satirizar o Brasil, usou o pseudônimo de Monckey, que significa macaco em inglês. Conf. J. M. Quérard, *Les supercheries littéraires dévoilées*, tome II, os. 1182, Paris, 1870. (E)

P. S. Deveis ter recebido minha carta, em que vos dou a notícia de feliz nascimento de um filho que correspondeu a todos os meus anseios[23].

No sobrescrito:

À Madame
Madame Graham

II

Minha delicadíssima amiga.

Ainda que extremamente emocionada pela morte de meu respeitável e bem amado sogro[24], que foi sempre para mim mais delicado e afetuoso que o melhor dos pais, não me posso furtar ao doce prazer de vos agradecer as duas amáveis cartas e explicar-vos os motivos que me impediram de vos escrever pelo último paquete. Uma viagem bem penosa à Bahia e uma permanência naquela província de dois meses eternos, privaram-me da única satisfação que me resta num enorme afastamento, sem uma amizade delicada e espiritual. Eis-vos em vossa querida e esclarecida pátria, entre bravos e virtuosos compatriotas. Como vos invejo esta felicidade! O único consolo que me resta é de seguir sempre o caminho da virtude e da retidão, com firme confiança na divina Providência, que não abandonará jamais um coração sincero e religioso.

Meus filhos fazem rápidos progressos tanto no moral, como no físico. Maria promete ter muito talento e me enche das mais felizes esperanças pela sua docilidade e vivacidade.

Ralhei com o Barão, que me prometeu escrever-vos, dizendo que tem tanto trabalho que não dispõe, para si, de nenhum momento — as desculpas de costume dos diplomatas. Como sei que sois sua amiga, tereis prazer em saber que ele foi nomeado Encarregado de Negócios[25]. Como o estimo sin-

---

23. D. Pedro de Alcântara, depois D. Pedro II, nascido às 2:30 da manhã do dia 2 de dezembro de 1825, no Palácio da Boa Vista (São Cristóvão). (E)

24. D. João VI faleceu às 4 horas da manhã do dia 10 de março de 1826, no Real Palácio da Bemposta. A notícia de sua morte chegou ao Rio de Janeiro a 24 de abril seguinte, pelo brigue Providência. (E)

25. Marechal apresentou credenciais como encarregado de Negócios em 24 de Abril de 1826. (E)

ceramente, isto me alegra. Assegurando-vos a minha inalterável amizade e estima, sou
   vossa muito afeiçoada

LEOPOLDINA

São Cristóvão, 29 de abril de 1826.

No sobrescrito:
À Madame
Madame Graham — Londres [26].

III

   Minha cara amiga.
   Começo por dizer-vos que a vossa última carta me causou bem doce prazer, e que posso também assegurar-vos, quanto à minha amizade, que penso mil vezes em vós, minha delicada amiga, e nos deliciosos momentos que passei em vossa amável companhia.
   Todos nós gozamos de perfeita saúde. Dentro em pouco serei obrigada a fazer um novo sacrifício, além do de deixar uma família e pátria que adoro. É o de me separar de uma filha que adoro, e que o merece, que revela a cada momento novas e excelentes qualidades, tendo uma aplicação extraordinária em sua idade, para os estudos, e uma coração piedoso e delicado para com seus amigos. O que deve consolar uma mãe afetuosa é a firme esperança, e posso dizer, certeza, de que ela fará a felicidade de uma nação fiel e brava e habitará em nossa querida Europa, que espero ainda rever, pois ao Tempo nada é impossível.
   Espero com bastante impaciência que o Sr. Gordon arranje agora meu gabinete de mineralogia. Tenho uma coleção para a cunhada de Sir Charles Stuart e espero enviar pelo próximo paquete. Seu cunhado deixou-nos para ir a Lisboa, de modo que não pude incumbir-se deste encargo.
   Assegurando-vos toda a minha amizade e estima,

---

26. Nota de Maria Graham: "Escrita depois da viagem à Bahia. (T)

sou
vossa Afeiçoada

                                        LEOPOLDINA

São Cristóvão, 7 de junho de 1826

P. S. — Perdoai-me a má letra, mas depois de minha viagem por mar apanhei umas dores reumáticas nos dedos da mão direita, que me dificultam muito a escrita.

No sobrescrito:

À Madame
   Madame Graham
     Em Londres.

IV

Minha queridíssima amiga!
Eis que neste momento me dizem que o paquete parte em poucas horas, de maneira que só me resta a oportunidade de vos dizer que nem a imensa distância que nos separa, nem qualquer outro motivo poderão diminuir o vivo carinho e amizade que vos dedico. Recebi com indizível prazer vossa última e amável carta, afirmando-me que gozais de uma perfeita saúde e tranquilidade.
Assegurando-vos toda a minha amizade e estima,
sou
vossa afeiçoada

                                        LEOPOLDINA

São Cristóvão, 16 de agosto de 1826

No sobrescrito:

A Madame
   Madame Graham
     Em Londres.

V

São Cristóvão, 17 de setembro de 1826

Minha delicada amiga,

Crede que todos os detalhes que tivestes a amizade de me fornecer sobre vossa pessoa, como sobre a política europeia me foram extremamente caros e agradáveis. Há muitas coisas neste mundo que se desejariam mudar por vários motivos e que um sagrado dever ou a amarga política impedem. Estas mesmas razões me forçam a ficar no Brasil, tão firmemente persuadida de que na Europa gozaria de maior repouso de espírito e de muita consolação, achando-me perto de minha família e de vós, a quem estimo e a quem dedico carinhosa amizade, além de não ser forçada a me separar de uma filha, que por suas raras qualidades morais e físicas merece meus mais carinhosos cuidados. Mas deixemos de falar sobre este tema. Continuando a escrever e pensar nisso poderia me deixar levar por uma negra melancolia.

    Todos nós gozamos de saúde perfeita e tenho o prazer de ver muitas vezes o Barão de Mareschal, que tem por vós um bem grande interesse, cara amiga.

Assegurando-vos toda minha amizade e estima e minhas carinhosas lembranças,
   sou
   vossa afeiçoada

                   LEOPOLDINA

No sobrescrito:
   À Madame
     Madame Graham
       Em Londres.

VI

Minha cara amiga!
Estou desde há algum tempo numa melancolia realmente negra, e somente a grande e terna amizade que vos dedico me proporciona o doce prazer de escrever estas poucas linhas. O Sr. Gordon me fez uma surpresa bem agradável, remetendo-me a balança mineralógica e os encantadores livros que me enviais. O que me fez ficar bem contente foi a afirmação que ele me fez de que gozais de perfeita saúde, que vistes um pouco o jardim da Europa, a incomparável Itália, e pudestes talvez ver minhas bem amadas irmãs. Como vos invejo, do fundo desse deserto, essa doce felicidade!!!!
Assegurando-vos toda minha amizade e estima, sou
vossa muito afeiçoada

LEOPOLDINA

São Cristóvão, 22 de outubro de 1826.

No sobrescrito:
A Madame
    Madame Graham
        Em Londres.

Carta de Maria Graham à Imperatriz (em francês)

Londres, 2 de novembro de 1826.

Minha augusta e bem amada amiga.
Acabo de receber neste momento a amável carta que V. M. teve a bondade de me remeter a 16 de agosto. A distância que me separa de V. M. não poderá jamais alterar a viva amizade que me inspirou vossa condescendente bondade e doçura. E é um verdadeiro alívio para meu coração sentir que eu conservo vossa estima e vossa afeição — Deixei de escrever pelo último paquete, por ter estado, na ocasião de sua partida, perigosamente doente — Foi um ataque nos pulmões e a febre foi tal, e por tantos dias, que nem as copiosas sangrias, nem os mais eficazes medicamentos de costume,

puderam reduzir o pulso a menos de 140. Graças a Deus, eis-me restabelecida, ainda que dificultosamente e sentindo-me ainda bem fraca para evitar os ventos de Leste, que são a praga de nosso clima setentrional durante a primavera. Espero ir à Itália no mês de fevereiro para lá passar algum tempo. Mas é preciso dizer a V. M. como e porque eu devo ir acompanhada. Estando cansada de viver só neste mundo, não me recusei a consentir em *casar-me novamente* — mas não será senão no mês de fevereiro que isto se dará. O homem que escolhi é um pintor e não me faltam parentes que clamam pela *mésalliance*. Que tolos! Como se um honesto nascimento e talentos superiores, com probidade e vontade, não valessem muito mais que o privilégio de dizer-se prima, em não sei que grau, de certos Lords que não se incomodam comigo mais do que com a rainha dos peixes! Chama-se Callcott. É um belo homem, de 47 anos, que muito me ama e me amou há muito tempo. Vi várias vezes Sir Charles Stuart desde sua volta e V. M. não pode duvidar que eu lhe tenha feito muitas perguntas sobre o Brasil e, sobretudo, sobre V. M. e a jovem Rainha de Portugal. Ah! Se V. M. viesse à Europa um dia visitar Sua Augusta Filha, com que prazer eu iria a Lisboa!

Espero que V. M. já tenha recebido os livros que remeti pelo Sr. Gordon. Pensei, com prazer, que ele poderá falar a V. M. sobre sua família, que ele conheceu toda em Viena. Parece-me que há sempre um grande prazer em ver e conversar com aqueles que acabam de estar com as pessoas que amamos. Parece que podemos quase perceber-lhes nos traços alguma coisa de parecido com as pessoas que eles acabaram de ver.

Não temos, no momento, nada de novo na literatura, salvo um pequeno livro de viagens, escrito pelo Capitão HeaD. Ele fez a viagem de Buenos Aires ao Chile, pelos *pampas* e depois pelas montanhas, para visitar as minas de ouro[27]. Há algumas descrições naturais e agradáveis. Nossas livrarias têm uma estranha mania — a de que não se devem publicar livros novos durante

---

27. Capitão Francis Bond Head – *Rough Notes taken during some rapid Journeys across teh Pampas and among the Andes.* – Londres, 1826, in-8. Publicou em seguida: *Reports relating to the Failure of the Rio de la Plata Mining Association, formed under an Authority signed by his Excellency Don Bernardino Rivadavia.* – Londres, 1827, in-8. As *Rough Notes* tiveram segunda edição, Londres 1846. O capitão Head (1793-1875) descendia de família judaica, os Mendes de Portugal. Foi aluno da Real Academia Militar, Woolwich, saiu segundo e primeiro tenente de engenharia em maio de 1811; esteve presente na batalha de Waterloo e comandou depois uma divisão de pontoneiros que marchou sobre Paris. Em 1825 retirou-se do serviço ativo e aceitou o lugar de administrador da Rio de la Plata Mining Association, formada em Londres em dezembro de 1825. Viajou então pelos países americanos do sul, quando escreveu os livros acima indicados. Foi membro do Conselho Privado e faleceu em 20 de julho de 1875. — (E.)

o verão. De modo que, salvo as gazetas e jornais periódicos, desde o mês de maio até Novembro há míngua de novidades e depois de Novembro até o fim de Maio há tantas viagens, romances, histórias e poemas que ninguém se lembra, na segunda-feira, do que foi publicado no sábado. Quanto às notícias públicas, estamos também tranquilos e tão indiferentes como se não tivesse havido nunca desgraças no mundo. Contudo, inda que os nossos operários estejam em melhor estado que há cinco meses, ainda teremos de pensar na situação deles durante o inverno que vem. A verdade é que temos habitantes demais na nossa pequena ilha e acotovelamo-nos para encontrar lugar.

Perdoe, Senhora, toda esta bisbilhotice, e aceite os votos que faço pela felicidade de V. M. e de todos que V. M. ama. Ninguém no mundo pode amar, estimar e respeitar mais V. M. do que a amiga fiel, afetuosa e serva dedicada

MARIA GRAHAM[28]

No sobrescrito:
À Sua Majestade Imperial
Maria Leopoldina,
Imperatriz do Brasil.

Carta de Mareschal a Maria Graham (em francês)

I

Rio de Janeiro, 10 de Março de 1827
Minha prezada senhora.

Espero que todas as complicações de que fui vítima nos últimos tempos, e que podeis facilmente imaginar, me servirão de desculpa para um tão longo silêncio. Começo por devolver junto vossas duas últimas cartas à Imperatriz. Ela não existia mais quando me chegaram às mãos[29]. Sua

---

28. Esta carta não chegou a ser entregue, como se verá pela carta seguinte de Mareschal. (T)

29. A Imperatriz D. Maria Leopoldina faleceu pelas 10 horas e um quarto de 11 de dezembro de 1826. Foi este o 17º. boletim diário de sua doença: "Pela maior das desgraças se faz público que a enfermidade de S. M. a Imperatriz resistiu a todas as diligências medicadas, empregadas com todo o cuidado por todos os Médicos da Imperial Câmara. Foi Deus servido chamá-la a si pelas 10 e um quarto. — *Barão de Inhomirim*". — (E)

moléstia foi curta e dolorosa. Não a perdi de vista durante todo seu curso. Ela desesperou desde o princípio; tendo em vista sua idade, sua constituição e a fatal complicação de uma gravidez, fez-se o que foi possível para salvá-la. Sua morte foi chorada sincera e unanimemente. Ela deixa um vácuo perigoso. Nada até agora indica nem que se pretenda preenchê-lo, nem por que pessoa. Tudo corre na forma de costume, da maneira que conheceis. Eis o bastante sobre um assunto tão aflitivo. Falemos de casamento. É mais alegre e convém melhor, Senhora, a vós que estais noiva. Fizestes bem, muito bem mesmo. O homem não foi feito para viver só, e a mulher ainda menos. De minha parte, desejo-vos toda a prosperidade e felicidade possíveis; e que eu a possa rever com boa saúde, gozando a vossa nova existência, quando isso se der. Eis o que ignoro, pois eis que estou de novo amarrado aqui por anos. Fizeram-me ministro. É preciso calar-me e ficar contente. No entanto, minha existência aqui não corre muito agradável. Temos, contudo, no momento, um corpo diplomático assaz numeroso, mas tudo isto está tão descosido que não se poderá fazer juízo certo.

Adeus, Senhora, passai bem, ficai satisfeita, e, sobretudo, conservai em vossa lembrança um lugar para o mais sincero, mais devotado, mas também o mais preguiçoso de vossos amigos.

MARESCHAL

II

Rio de Janeiro, 18 de agosto de 1828
Senhora,
Recebi a carta com que me quisestes honrar na data de 5 de junho, assim como uma inclusa, de que junto aqui a resposta. Não temos aqui absolutamente nada de novo: uma assembleia, de que ninguém parece se ocupar; uma guerra, em que as duas partes se cobrem de glórias sem se bater; heroísmo, lealdade, uma profunda sabedoria, nem sombra de senso-comum, mas tédio em abundância; e eu vos envio vosso quinhão em vos escrevendo.

Lord Ponsonby é o homem mais amável, mais simples de maneira que existe sob o céu, mas como se levanta às duas horas da tarde e janta das sete à meia-noite, ainda não tive ocasião de gozar de sua companhia[30]. Os restantes vossos patrícios passam alegremente. O Sr. Chanceler dá uma audiência uma vez ou outra. Quanto a amigos, Senhora, não sou tão feliz quanto vós. Não tenho nem velhos nem novos. Se isto continua, será melhor amarrar uma pedra ao pescoço e atirar-me a um rio. Perguntais-me de Grenfell. Ele se tem distinguido; recebeu um posto e uma condecoração, e isto o levará para diante, eu o espero. Mas, enquanto se espera, faz-se dele boa opinião e com perseverança ele acabará por fazer carreira[31].

Li *Vivian Grey, Han d'Islande*[32] etc. Nada disso me agradou, e a dissolução de nossa sociedade de leitura é uma verdadeira desgraça para mim. Por isso penso em solucionar esse caso, se estiver destinado a ficar neste país encantador; e sabeis como, Senhora? Servindo-me de vós, com vossa permissão, para a escolha de algumas novidades de tempos a tempos. Espero que me queirais dizer preliminarmente a quanto isso poderia se elevar por ano e qual seria o melhor meio de fazê-las chegar aqui.

Tenho atualmente por única companhia dois papagaios, duas araras, uma cacatua, um urubu-rei e dois macacos. Estão todos às vossas ordens, Senhora, assim como o dono. Temos ainda uma companhia de velhas dançarinas e cantoras francesas e cantores italianos[33]. Mas ainda não pude

30. Lorde Ponsonby (John), Visconde Ponsonby of Imokilly (1770-1855), diplomata. Foi enviado extraordinário e ministro plenipotenciário da Grã-Bretanha na corte do Rio de Janeiro. Começou a servir esse cargo em 22 de agosto de 1828 e foi o mediador nas negociações da convenção de paz entre o Brasil e as Províncias do Rio da Prata, de 27 do mesmo mês e ano. Faleceu em Brighton, em 21 de fevereiro de 1855. — (E.)
31. John Pascoe Grenfell atingiu ao almirantado, perdeu um braço na campanha naval da Cisplatina e faleceu a 29 de março de 1869, em Liverpool, como cônsul geral do Brasil. — (E.)
32. *Vivian Grey*, novela de Lothair Disraeli, 5 vols. In-4, Londres, 1825 Há dessa novela três edições até 1827. *Han d'Islande*, romance de Victor Hugo, 4 vols. In-12, Paris, chez Persan, Éditeur, 1823, 2ª edição, Lecomte et Durey, mesmo número de volumes, mesmos formato, lugar e ano. — (E.)
33. No Teatro São Pedro de Alcântara funcionava então uma companhia de artistas italianos e franceses, músicos e dançarinos, em cujo elenco figuravam Falcoz, primeiro dançarino, Majoranini, primeiro baixo-cantor, mme. Dargé, dançarina, Fabrício Piaccentini e suas filhas Justina e Elisa, o casal Fasciotti, o casal Henry, o casal Toussaint, mlle. Adèle Paillier, etc. O repertório constava das peças *"Joconde ou o Príncipe Troubador"*, o *"Mercador de Escravos"*, o *"Barbeiro de Sevilha"*, a *"Italiana em Argel"*, a *"Timonela"*, o *"Aio em embaraço"* etc. Os atos eram entremeados de danças, que rematavam o espetáculo. As funções nem sempre eram pacíficas. O cronista do *Jornal do Comércio*, de 19 de agosto de 1828, escreveu a respeito: "Nunca a ilusão teatral foi levada ao ponto em que a vimos antes de ontem á noite. Tres ou quatro dos Srs. Figurantes se gratificaram mutuamente com uma roda de chicote, e isto com um vigor, ou para melhor dizer, com uma brutalidade realmente perfeita. Não queremos tratar seriamente uma indecência tão escandalosa. A polícia apoderou-se imediatamente dos culpados, aos quais sem dúvida inculcará que uma conduta tão grosseria e prevista pelos regulamentos; que o único meio para não tornar a cair no mesmo erro e de refletir maduramente, e que em parte nenhuma se reflete melhor do que na Cadeia".
Por esse tempo falava-se na formação de uma Companhia Nacional que viria trabalhar no Teatro São Pedro de Alcântara. O *Jornal do Comércio*, de 7 de agosto, publicava a lista dos artistas portugueses, engajados em Lisboa, que deviam compor essa Companhia. Chamava-se nacional, entenda-se, por que suas representações eram dadas na língua do país... — (E.)

assistir a um espetáculo dessas novidades, porque eu estou de luto de meu pai. Sua morte, de que tive conhecimento pelo último paquete, muito me acabrunhou. Era o único amigo que eu tinha. Contanto que também não vos deixeis morrer, porque vós e minha avó de Paris, sois minhas únicas correspondentes do velho mundo... Adeus, Senhora, tudo tem um fim. Isto prova a folha de papel em que vos escrevo. Permiti, porém, que excetue dessa regra geral os sentimentos de amizade e de dedicação que vos dediquei.

MARESCHAL

Cartas de Maria Graham a Palmela (minutas, em francês)

1828 — Londres

I

Senhor

Devo desculpar-me perante vós pela responsabilidade de tomar-vos um momento. Estive, há atualmente mais de quatro anos, no Brasil, porque S. M. o I. e a finada Imperatriz me ordenaram que assumisse a direção de suas bem-amadas filhas, principalmente a de S. M. a Rainha de Portugal. É inútil ocupar-vos com os motivos que me fizeram deixar o honroso serviço que me estava destinado e para o qual fui convidada por Suas Majestades o Imperador e a Imperatriz.

Voltando à minha pátria, contraí novas núpcias e nunca mais pensei em reingressar numa corte. Mas a chegada de S. M. a jovem rainha me fez recordar todo o afeto que eu nutria para com essa amável criança e o meu respeito, — mais que respeito — a verdadeira amizade que subsistia entre sua Augusta Mãe e eu. Pensei, pois, que não erraria apresentando-me em casa de S. M. a Rainha com o meu antigo nome. Antes de o fazer, pedi os conselhos de meus amigos Mylord e Milady Holland[34], que me afirmaram

---

34. Lady Elisabeth Holland, filha do milionário Vassal, da Jamaica, foi casada em primeiras núpcias com Sir Godfrey Webster, de quem se divorciou escandalosamente para casar-se com Lorde Holland (Veja *Escorço biográfico*, nota 1,a).

Sua casa em Londres, a famosa Holland's House, foi um dos mais vivos centros intelectuais e políticos da Inglaterra; seus salões eram frequentados por personalidades como Macaulay, Sydney Smith, Talleyrand e muitas outras; mas, pelas circunstâncias do divórcio já aludido, não eram procurados pela alta aristocracia, de costumes rígidos, e poucas senhoras ali apareciam. Napoleonista exaltada, empregou esforços para salvar o vencido de Waterloo. Escreveu o seu Journal, publicado recentemente. Lady Holland morreu em 1845. — (E.)

que, dirigindo-me a V. Excelência e explicando que o motivo da minha visita seria demonstrar a afeição que conservei pela jovem rainha e o meu respeito pela memória de sua excelente mãe, poderia, sem temor, confiar-vos o desejo, que tinha, de ver, ao menos uma vez, esta criança tão querida daquela que não deixarei jamais de lamentar e que até os últimos dias de sua vida, não cessou de me demonstrar, por meio de cartas, sua afeição[35].

Resposta de Palmela (em francês)

Londres, 27 de outubro de 1828

Senhora
Estou realmente tão envergonhado quanto possível por ter adiado por tanto tempo a resposta à carta que me fizestes a honra de enviar. O fato é que eu a recebi estando doente, preso ao quarto, e passaram-se alguns dias antes que tivesse ocasião de informar S. M. a Rainha da lembrança que conserváveis do tempo em que estivestes junto a ela e da doce dedicação que lhe consagrais. Fiz referência à vossa visita ao Sr. de Barbacena, que é a pessoa encarregada pelo Imperador Dom Pedro da guarda de sua filha, e vos afirmo, Senhora, que vossa intervenção muito longe de parecer descabida, não pode senão provocar o reconhecimento de todas as pessoas que se interessam pela jovem Rainha.
Eu vos pedirei, Senhora, permissão para vos procurar em vossa casa, a fim de conversarmos a respeito de tudo o que se refere à vossa Pupila, e não desespero que ela possa retomar este título, se um dia sua posição consolidar-se na Europa e ela se separar das pessoas que trouxe consigo provisoriamente do Brasil. Apresento-vos, Senhora, minhas homenagens muito vivas.

---

35. Tendo demorado e resposta de Palmela, parece que a então Mrs. Calcott começou a afligir-se. A este respeito escreve-lhe Lady Holland o seguinte bilhete:
"Estou certa de que fizestes muito bem — e quero contar a Palmela que foi principalmente por sugestão minha que procurastes a Rainha. Acho que o Sr. Callcott faz bem em rir de vossas apreensões. Desejo-os boa sorte. — E. HollanD. — Domingo". — (T.)

PALMELA [36]

No sobrescrito:
    Mrs.
       Callcott
           4, Kensington Gr

II

Senhor

Neste momento acabo de receber a sua carta de hoje. Fico muito sensibilizada pela honra que V. Ex. me quer fazer vindo à minha casa, e não ficarei senão demasiado satisfeita se, na menor coisa ou qualquer circunstância, eu puder ser útil a S. M. a jovem Rainha, não somente pela dedicação que Lhe conservo, como pelo reconhecimento do verdadeiro afeto que me manifestava sempre sua excelente mãe.

    Estou sempre em casa de manhã. Assim, em qualquer dia ou hora conveniente a V. Ex., encontrar-me-á. Se conviesse a V. Ex. avisar-me do momento em que deseja encontrar-se comigo, tomaria as medidas necessárias para ficar só.

---

36. D. Pedro de Sousa Holstein (1781-1850). Conde de Palmela em 12 de abril de 1812; Marquês em 3 de julho de 1823; Duque em 13 de junho de 1833. Ao recolher-se do Brasil a Lisboa com a família real, em 1821, recebeu ordem de desterro para 20 léguas afastadas da corte, o que cumpriu em Borba. Chamado a ocupar o Ministério dos Negócios Estrangeiros na contra-revolução de 1823, viu-se implicado e preso no movimento infantista de abril de 1824. Em 5 de fevereiro de 1825 foi nomeado embaixador de Portugal na corte de Londres. Faleceu em Lisboa, em 12 de outubro de 1850. (E)

ESCORÇO BIOGRÁFICO DE DOM PEDRO I, COM UMA NOTÍCIA DO BRASIL E DO RIO DE JANEIRO EM SEU TEMPO

II

ADVERTÊNCIA

(De William Hutchins Callcott)

Mr. Hallam[37] considerava este manuscrito valiosíssimo.
Lord Holland[a] tinha em grande apreço esta narrativa.
— Vide as cartas da Hon. Carolina Fox a Lady Callcott e a carta de Miss Edgeworth[b] no final.

---

37. Henry Hallam (1777-1859). Notável historiador inglês. Escreveu entre muitos outros livros, os seguintes:
— *A view of the State of Europe during the Middle Ages.* — Londres, 1818. 2 vols. in-4;
— *The Constitutional History of England from the Acession of Henry VII to the Death of George II.* — Londres, 1827, 2 vols. in-4.
— *Introduction to the Litterature of England in the fifteenth, sixteenth, and seventeenth centuries.* Londres, 1837-39, 4 vols. in-8. (E.)

a. Henry Vassall Fox, Lorde Holland (1733-1840). Notável político, um dos mais convictos Whigs da Inglaterra. Formado pela Universidade de Oxford, em 1972, foi colega e amigo de Canning. Visitou Paris e aí conheceu Lafayette e Talleyrand; logo depois esteve na Espanha e na Itália, voltando à Inglaterra com a mulher de Sir Godfrey Webster, com quem se casou após o rumoroso divórcio desse último. Entrou em 1798 para a Câmara dos Lordes, onde combateu a união da Irlanda e procurou abrir o Parlamento aos Católicos. Em 1800 adotou o nome de Vassall Holland; em 1802 foi de novo a Paris e frequentou a primeiro cônsul; em 1805 esteve em MadriD. Foi um dos plenipotenciários ingleses no acordo com os Estados Unidos em 1806. Abolicionista ardoroso, posto que grande proprietário na Jamaica, sustentou todas as medidas contra o tráfico. Membro do Conselho Privado em 1806; Lorde do Selo Privado no gabinete chamado dos "talentos", organizado no mesmo ano. Na Câmara dos Lordes combateu o *bill* que considerava Napoleão prisioneiro de guerra; manifestou-se pela independência da Grécia e pela intervenção em Portugal a favor de D.Maria II. Não falhou, pois, em nenhuma das grandes causas liberais de seu tempo. Com a volta dos Whigs ao poder, foi chanceler do Ducado de Lancaster, cargo em que se manteve, com pequenas interrupções, até morrer.

A fama de Lorde Holland é singularmente ampliada pela brilhante vida social que manteve, paralela à sua ação política. Todos os contemporâneos são unânimes em atribuir-lhe as grandes qualidades de homem de salão, boa conversa, finura, uma inesgotável reserva de anedotas e, acima de tudo, uma capacidade inaudita de ouvir e tolerar as opiniões alheias, por mais contrárias que fossem às suas ideias. A aventura de seu casamento fez, porém, com que sua casa, a célebre Holland's House, onde se reunia a fina flor da intelectualidade britânica, fosse olhada um tanto de soslaio pelas altas e severas camadas da aristocracia inglesa.

NOTA PRÉVIA
(*do punho da autora*)

As páginas seguintes foram escritas logo após a morte do Imperador do Brasil, Dom Pedro I, Duque de Bragança, etc. Deveria dizer antes que foram começadas nesta época, visto como foi então que narrei alguns de seus episódios a Miss Fox, que entendeu de tomar nota de tudo que eu dizia. Em vista disso, comprometi-me a escrever não somente o que sabia de ciência própria sobre Dom Pedro, como o que havia aprendido, de bom ou de mau, a respeito de seus primeiros tempos. Está visto que, à medida que a narrativa vai prosseguindo, muita coisa relativa a este país se mistura com ela. Sua filhinha e sua primeira e admirável mulher serão também citadas com frequência. Para mim, o que se refere à última é a parte mais interessante da narrativa. Para aquele em cujas mãos este manuscrito provavelmente ficará, talvez as passagens referentes à minha pessoa não sejam totalmente sem valor.

Maria Callcott

Kensington Gravel Pits —
(Começado em 1834.
Terminado em julho de 1835).

Lorde Holland escreveu uma biografia de Lope da Vega e traduziu várias peças espanholas e italianas; escreveu ainda muitos panfletos políticos, um projeto de constituição para o Reino de Nápoles, além de suas memórias, de edição póstuma, por seu filho Henry Edward, sucessor do título e da casa. Sobre ele há um belo ensaio de Macaulay. — (E.)
    b. Maria Edgeworth (1767-1849). Romancista inglesa. Escreveu histórias para crianças, e ainda *Castle Rockrend* (1800), *Belinda* (1801), e outros romances em séries. Não se casou para fazer companhia ao pai. Grande conhecedora da vida irlandesa, tema principal de sua obra. Era amiga íntima de Walter Scott. Muito conhecida em Londres e em Paris. Sua carta a Maria Callcott vem no final, mas a de Carolina Fox, que deve ser da família de Lorde Holland, não aparece aqui. — (E.)

ADITAMENTO

Caso esta memória seja um dia examinada por alguém que esteja escrevendo a vida de Dom Pedro I, tudo o que se refere a mim, pessoalmente, será naturalmente posto de lado.

Aliás, eu mesma não deveria ter narrado senão aquilo que posso esclarecer, não somente o seu caráter, mas o estado social do Brasil no seu tempo. Cancelei um grande episódio, e teria mesmo arrancado e queimado este trecho. Mas existem os documentos originais e assim deixei aqui as cópias. A história de Mme. Bonpland foi incluída somente para mostrar algumas das variedades de armadilhas a que estava exposto Dom Pedro.

M. C.

(Cópia feita por Samuel Allen. Cav.)

ESCORÇO BIOGRÁFICO DE DOM PEDRO I, COM UMA NOTÍCIA DO BRASIL E DO RIO DE JANEIRO EM SEU TEMPO

A natureza dotou Dom Pedro de fortes paixões e grandes qualidades[38]. As últimas foram reveladas pelas circunstâncias, mas nem a educação, nem a experiência, haviam domado as primeiras, quando sua conduta, como príncipe soberano, se tornou importante aos olhos do velho e do novo mundo. Daí os depoimentos contraditórios que dele temos, partidos de várias pessoas, que poderiam supor terem estado em excelentes condições para julgá-lo.

Foi levado da Europa e seus requintes com a idade de 11 anos, para uma colônia remota, terrivelmente corrompida pela escravidão, e acompanhado no exílio por alguns nobres portugueses, cujos hábitos e a moralidade não poderiam ser da menor vantagem na formação do seu caráter, e por um bando dos mais desprezíveis e degradantes agregados do Palácio de Lisboa. O chefe destes[39] devia sua posição à fortuna (ganha de maneira que dificilmente poderá ser averiguada), e havia sido inicialmente servente das Reais Cavalariças. Sua mulher, outrora uma irlandesa extremamente bela, era a filha de uma lavadeira.

Na ocasião da chegada da Família Real ao Brasil, seguiu-se o sistema do costume entre os Braganças: os jovens príncipes foram afastados, quanto possível, de todo conhecimento dos negócios públicos e casos do Estado. Passavam o tempo principalmente no apartamento da velha aia, que os acompanhara de Portugal, ou numa espécie de caçadas ligeiras que se permitem aos Príncipes do Sul da Europa, ou em divertimentos, dos quais o único respeitável era a música. Quando cresceram, empenharam-se em pô-los em contato com cenas de vício e deboche. Em resumo: a educação dos Príncipes foi, em geral, tão desprezada que, eles próprios, se queixavam, quando crescidos, de mal saberem ler e escrever.

---

38. V. final das Memórias de S. Leopoldo (II Congr.I, 470)
39. Este cavaleiro fundou o Banco Nacional do Brasil. (A)

Houve uma tentativa fracassada de dar-lhes um tutor na pessoa do Padre Boiret[40], francês residente por muito tempo em Lisboa, mas suas maneiras e moralidade eram tais que Dom Pedro, escandalizado e aborrecido, disse francamente a seu pai que não receberia instrução de tal mestre. Estava destinado a dever sua primeira educação a pessoa bem diferente. A beleza de uma graciosa dançarina de teatro, filha de um artista francês, impressionou o jovem príncipe desde a primeira vez que a viu. Procurou logo uma apresentação. Em breve ficou apaixonado por ela e o seu amor foi correspondido. Os que o cercavam, bem como as pessoas da corte, viram nisso uma aventura que poderia acostumá-lo a certas relações, e a afastá-lo de certa sociedade, de que eram ciumentos, e assim não somente animaram, como incrementaram sua paixão. Foram ao ponto de dar uma vultosa quantia à mãe da dançarina para que ele pudesse gozar do privilégio exclusivo de visitá-la. Mas a honra e os escrúpulos que esta tinha não puderam ser vencidos; Dom Pedro, incapaz de dominar sua paixão, desposou-a secretamente. Ela era extremamente educada e empreendeu a educação de seu real apaixonado.

Foi isto pelo tempo da paz geral na Europa, quando, sem conhecimento de Dom Pedro, se fizeram negociações, em seu nome, no sentido de lhe obter a mão de uma arquiduquesa austríaca. Nada poderia igualar o desespero do jovem príncipe, quando veio a saber que a Arquiduquesa já estava embarcada, em caminho para o Rio. Recusou desfazer-se de sua mulher, como teimava em chamá-la. Recusava despedi-la apesar das ordens, das ameaças de ser deserdado, feitas pelo seu tolo pai, sua imperiosa mãe e por toda a corte e ministério. A Rainha ainda condescendeu em confiar na dançarina, achando que as ameaças não davam resultado sobre ela e só exasperavam o príncipe. Tentou suborná-la com riquezas superiores a seus desejos e com as mais preciosas joias, impondo a única condição de ir gozar delas na Europa. Prontificou-se, além disso, a obter-lhe casamento com um homem de condição elevada, cujo caráter e conduta seriam uma segurança para sua futura felicidade. Mas tudo foi recusado, pois a dançarina

---

40. A autora escreve *Boirée*. — (T). Padre Renato Pedro Boiret, mestre das princesas. Capelão-mor do Exército Imperial. Fez parte do Apostolado, onde tinha o nome de Sócrates. Foi nomeado comendador da Ordem de Cristo, no despacho de 4 de abril de 1825. — *Diário Fluminense*, de 6 do mesmo mês e ano.
Era cônego e faleceu em 23 de julho de 1828 — Melo Moraes, *Brasil histórico*, 2ª série, tomo II, ps. 166. Rio, 1867. — (E.)

era moça e estava muito apaixonada. Afinal, estava tão próxima a chegada da Arquiduquesa que a Rainha se viu obrigada a fazer mais um esforço e desta vez foi bem-sucedida, tendo falado à moça na vantagem e felicidade do próprio Príncipe e não de seu próprio interesse, acenando com a possibilidade de ele ser deserdado se ela continuasse a teimar. Consentiu, pois, ela, em abandoná-lo, com a condição de lhe ser permitida a ida para alguma região do Brasil, não estando longe o seu parto, antes de atender a quaisquer outras propostas. Não lhe deram tempo de voltar atrás. Foi imediatamente posta a bordo de um navio e enviada a Pernambuco, onde foi entregue aos cuidados de Luiz do Rego, então governador, e sua bondosa esposa. Foi tratada com grande carinho e teve, talvez prematuramente, uma criança sem vida. Estando rompido qualquer laço com Dom Pedro, consentiu ela em casar com um oficial francês, que a levou para Paris, onde viveu muitos anos e talvez ainda viva, modesta e respeitosamente.

Após este episódio da sua vida, poderá alguém surpreender-se com ter sido sua recepção a Maria Leopoldina mais fria do que deveria ser, e que pessoas que reparam nestas coisas tenham observado que, no Camarote Real no Teatro em que pela primeira vez apareceram juntos em público, a Rainha estivesse constantemente chamando a atenção do Príncipe para que cuidasse de sua esposa, e que ele obedecesse aos seus sinais com tal relutância e mau jeito que fizessem cair lágrimas dos olhos da Arquiduquesa? Não obstante, o bom senso da Arquiduquesa, que foi logo informada, por uma pessoa qualquer da corte, a respeito da história da dançarina, em breve reconciliou Dom Pedro com o seu dever. Ela se tornou sua companheira constante nos seus passeios e excursões pelas florestas selvagens que envolvem o Rio por todos os lados, e nos estudos que ele prosseguiu com maior ardor que antes, sob a direção da esposa. A determinação desta, de não magoar ou chocar uma alma recém-ferida, obteve, senão a mais calorosa afeição do marido, ao menos sua total confiança e completa estima.

Entrementes, as intrigas do Palácio e seus habitantes ciumentos de qualquer estrangeiro tornaram de tal maneira difícil a situação das damas que haviam acompanhado a Arquiduquesa, que elas se dirigiram, incorporadas, a Dom João VI, e insistiram em ser recambiadas para a Europa, seis meses depois de chegadas. Tendo morrido de repente o jovem que havia acompanhado a Arquiduquesa como secretário, provavelmente devido à mudança de clima, essa morte foi atribuída a envenenamento e, desde aí, Maria Leopoldina não teve mais o conforto de uma companhia e de uma notícia de sua própria terra.

A primeira vez que Dom Pedro teve ocasião de manifestar seu espírito como homem público, foi no dia em que a Constituição foi imposta a Dom João VI, juntamente com a igualdade de direitos do Brasil e Portugal. No meio dos gritos de alegria do povo, Dom João e a Rainha concertaram secretamente os meios de uma rápida volta a Portugal, de modo a reinar em uma corte mais absolutista, e então, pela primeira vez, chamaram Dom Pedro a tomar o lugar que lhe competia como segunda pessoa no governo. Resolveram deixá-lo como Regente no Brasil até que pudessem mandar da Europa tropas suficientes para abafar o que chamavam "o espírito revolucionário" que lhes havia imposto uma Constituição.

Entretanto, algumas pessoas no Palácio (segundo se cochichou, a própria Rainha) haviam autorizado alguns guardas a atirar sobre a *Assembleia da Cidade*, onde os cidadãos estavam pacificamente reunidos. Mas Dom Pedro, reunindo alguns milicianos na cidade, com outras tropas, marchou em defesa da Assembleia, e o fez com tal eficiência que o dano causado pelos atacantes foi pouca coisa mais do que janelas quebradas.

Na tarde do mesmo dia, a população tirou os cavalos da carruagem de Dom João e arrastou o Rei, a Rainha e a Corte, para assistirem sua ópera favorita — *La Cenerentola*.[41] Na manhã seguinte toda a comitiva real, tanto quanto permitiram as acomodações do navio, saía barra fora em demanda de Lisboa, deixando Dom Pedro como regente num território que continha mais graus de latitude e longitude que toda a Europa reunida e cujos habitantes acabavam de alcançar um grau de densidade e civilização que não podia dispensar um governo local. A necessidade de tribunais de Justiça na terra, para evitar a remessa das menores causas para serem decididas além do Atlântico; o desejo natural de ver alguns compatriotas ocupar cargos de confiança até então exercidos somente por estrangeiros e os clamores anômalos de uma população mista de livres e escravos, tornavam a posição do príncipe de uma dificuldade fora do comum.

Em fins de setembro de 1821 a Fragata britânica Doris chegou a Pernambuco e verificou que o partido brasileiro, resolvido a separar-se da Mãe-Pátria, havia se aproximado da cidade com uma força considerável, obrigando o Governador Luiz do Rego a cortar as pontes de comunicação com o interior e a erguer uma estacada além dos subúrbios para proteger os habitantes.

---

41. *La Cenerentola* (em francês Cendrillon) é uma ópera bufa em dois atos, libreto de Ferreti e música de Rossini, representada em Roma, pela primeira vez, no Teatro Valle, em 26 de dezembro de 1816. O libreto da Cenerentola nada tem de comum com a Cendrillon, de Perrault. — (E.)

A Fragata ficou muitos dias ancorada e deixou o Governador Realista e o Comandante das forças da terra em tão bons termos que o último até permitiu a entrada de mantimentos na cidade e o Governador desistiu de hostilidades ativas até que pudesse receber uma resposta do Príncipe, no Rio, às propostas dos patriotas. Alguns dos oficiais do navio tiveram então ocasião de visitar os comandos dos sitiantes, em consequência de ter sido capturada uma cesta de roupa. Claro é que o aspecto dos soldados era um tanto curioso para pessoas recém-vindas da Europa. O Comandante em Chefe era um português-brasileiro, moreno e gordo, de aspecto um tanto pesado, mas com uma testa e um olhar que às vezes se iluminavam e mostravam que ele mereceria ser colocado à frente de um empreendimento honroso[42]. Sua vestimenta e seus apetrechos eram os que um fazendeiro estúrdio podia ostentar de volta de uma inspeção às suas terras recém lavradas e o seu Estado-Maior ou Conselho consistia em onze ou doze pessoas reunidas na sala em que ele recebia os oficiais, diferenciando-se dele somente no vestirem-se algumas delas de preto. Pertenciam evidentemente ao clero e à classe dos legistas. Quanto à guarda de honra, nunca se viu, talvez, uma tal mistura de cores, seja de pele, seja de vestuário — havia o louro refugiado irlandês, o pálido português e todos os tons de branco e de castanho-claro que se poderiam obter entre aqueles e o negro. Quanto ao vestuário, ao lado de um roupão verde, vinha um algodão estampado, seguido por uma jaqueta verde com calças vermelhas; uniformes abandonados das velhas tropas portuguesas alinhavam-se com as cores mais brilhantes que Manchester pode produzir para o mercado de escravos: meias de todos os matizes alternavam com muitas pernas nuas; sapatos de todos os feitios que se podem imaginar para evitar o bicho de pé, desde a bem feita bota de Londres até a sola de pele crua e a sandália leve, de madeira, do lavrador. Os armamentos estavam em relação com o vestuário. Umas poucas espingardas, espadas e pistolas alternavam-se com lanças de bambu, algumas sem ponta de ferro. Instrumentos agrícolas, remos e ganchos de navios, e até mesmo instrumentos mecânicos mostravam como todos haviam estado alerta em obedecer ao grito de independência.

Os proprietários das terras das vizinhanças de Pernambuco não haviam limitado os convites às famílias e à descendência dos primeiros colonos portugueses. Haviam apelado também para os negros, livres ou escravos,

---

42. O presidente da Junta do Recife, eleito em 26 de outubro de 1821, era Gervásio Pires Ferreira. — (E.)

com a promessa de libertação dos últimos em nome do grande chefe Camarão, para que se mostrassem dignos dos grandes heróis dos tempos de Maurício de Nassau!

Quando a Fragata chegou à Bahia, a cidade estava perfeitamente tranquila, mas, não muitos dias depois, apareceram também os patriotas, vindos do interior; tinham uns poucos oficiais experimentados a mais que os pernambucanos e também alguma artilharia, mas o grosso das tropas era tão misturado de cores quanto as do norte.

Era uma cena curiosa de ver-se, dos navios no cais, a artilharia da cidade, assestada no largo do teatro, que se ergue exatamente na borda da elevação em que fica a cidade. O dia e mesmo a hora para uma batalha pareciam fixar-se. Os patriotas deviam avançar do fundo da cidade; estavam já armados, à margem do pequeno lago, a menos de um quarto de légua de distância. Mas o tempo não estava propício; as chuvas tropicais convertiam as estradas em rios de lama vermelha e, como em Pernambuco, os baianos também concordaram em esperar até que ouvissem do Príncipe Regente, se ele iria ficar à testa do Brasil Independente e Igual, ou submeter-se aos termos assaz degradantes propostos pelas Cortes de Lisboa.

A Fragata seguiu ainda para o Sul e ancorou na Baía do Rio de Janeiro. Mal haviam os oficiais feito os seus preparativos a bordo e iniciado suas relações com os comerciantes da praia, quando rompeu um motim entre os soldados, mas com intuitos muito diferentes dos patriotas do norte. No Rio, os soldados haviam determinado forçar o príncipe a obedecer às Cortes de Lisboa e colocar o Brasil no pé em que estava antes dos Braganças nele se haverem refugiado, a fim de voltar a Lisboa para começar sua educação pessoal. Dizem os que estavam presentes quando Dom Pedro abriu os despachos das Cortes, que nada poderá dar ideia da indignação que ele exprimia em cada trecho deles. Tendo passado sua vida, desde os onze anos, no Brasil, estava a ele fortemente ligado e desposara calorosamente seus interesses. Protestou em altas vozes contra a injustiça de remover os Tribunais de novo para o outro lado do Atlântico, exatamente quando a nação estava começando a colher o benefício de uma rápida e certa administração da justiça, e, quanto ao que se referia a ele pessoalmente, está claro que protestou por ser tratado como estudante, quando já era marido e pai, e havia exercido as funções de Príncipe Soberano.

Numa das primeiras noites em que os oficiais da Fragata conseguiram ir ao Teatro, não tanto por causa da música, quanto para ver o Príncipe e a

Princesa que lá deviam estar sendo noite de gala, notaram que havia uma grande animação na conversa em uma parte da plateia e que os oficiais portugueses, de um determinado regimento, estavam ausentes da casa. Quando a ópera estava aproximadamente para mais da metade, parece ter havido um alarme repentino, não somente nos principais camarotes, mas na plateia, e todos os olhos estavam ansiosamente voltados para o Príncipe, que, na parte posterior de seu próprio camarote, falava energicamente, parecendo dar ordens ao Comandante da cidade, enquanto, ao mesmo tempo, uma cara nova aparecia a cada instante à porta do camarote, como se estivesse trazendo notícias desagradáveis. Em muito pouco tempo o falatório dos camarotes e o levantar da assistência, preparando-se para deixar a casa[43], quase abafava as vozes dos atores. Neste momento Dom Pedro veio à frente e com sua voz forte apelou para a assistência, declarando que todos os amigos da paz, do Brasil e d'Ele, deveriam conservar-se nos lugares; que era verdade que dois regimentos portugueses se haviam revoltado e haviam deixado seus quartéis em direção ao Morro do Castelo, mas que ele havia dado ordens ao Comandante da guarnição que assegurariam a proteção das casas e propriedades dos habitantes, desde que ficassem sossegados e não embaraçassem o movimento das tropas, precipitando-se pelas ruas antes de se terem tomado as necessárias medidas para a segurança do povo. De sua parte, Ele pretendia permanecer onde estava, até o fim da ópera, e a Princesa havia resolvido ficar com ele. Ela então avançou e deu a mesma segurança ao povo que, vendo-lhe firmeza (especialmente

---

43. Esse edifício, mais tarde incendiado, era maior do que o Teatro Real (King's Theatre), no Haymarket. (A). Sobre o Real Teatro de São João, veja *Cartas de Luiz Joaquim dos Santos Marrocos, in Anais da Biblioteca Nacional*, vol. LVI, ps. 160. Foi construído no antigo Campo dos Ciganos, por Fernando José de Almeida, o Fernandinho, que fora cabeleireiro do vice-rei D. Fernando José Portugal, segundo planta do marechal de campo João Manuel da Silva. Informa Pizarro, *Memórias históricas*, vol. V, ps. 78, que acomodava na plateia, sem vexame, 1020 pessoas, tendo 112 camarotes, distribuídos em quatro ordens: a primeira com 30 camarotes, a segunda e a terceira com 28, cada uma, e a quarta com 26. Foi inaugurado em 12 de outubro de 1813. Depois de um espetáculo de gala para solenizar o juramento da Constituição Política do Império, em 25 de março de 1824, foi, em poucas horas, devorado por violento incêndio, ficando apenas de pé as paredes laterais. Para sua reedificação o decreto de 26 de agosto daquele mesmo ano autorizou a extração de loterias e concedeu outros favores; outro decreto, de 15 de novembro, outorgou ao teatro, que se estava reconstruindo, o título de Imperial Teatro São Pedro de Alcântara.

Sua inauguração efetuou-se a 22 de janeiro de 1826, com um espetáculo de gala para solenizar o aniversário natalício da Imperatriz D. Leopoldina.

Depois da abdicação de D. Pedro I o teatro teve o nome mudado para Teatro Constitucional Fluminense. — (E.)

tendo em vista a sua condição muito adiantada de gravidez) aquiesceu e elevou um viva que pareceu abalar o edifício. Em consequência, o espetáculo continuou e quando caiu o pano, a princesa foi conduzida do camarote por um dos oficiais de serviço de sua Casa e colocada numa carruagem de viagem, para ela preparada, com uma escolta para conduzi-la à Quinta de São Cristóvão. Dom Pedro ficou no Teatro até que todos saíram, e então, montando a cavalo, dirigiu-se ao Jardim Botânico, a cerca de seis milhas de distância, onde estava postado o principal Corpo de Artilharia e depois de colocar os Paióis de Pólvora e a Fábrica em segurança, trouxe os canhões grandes para a defesa da cidade e passou a noite toda reunindo os diferentes corpos da Milícia e das tropas nativas brasileiras para proteger a praça da ameaça de saque pelos portugueses.

Ao raiar do dia, uma força avaliada em oito mil homens estava reunida, pela maior parte postada no Campo de Sant'Anna, a maior praça do Rio, e ocupando o caminho entre o Morro do Castelo e a grande estrada para o interior, e também dominando o aqueduto que fornece ao Rio quase toda a água potável. Os oficiais portugueses haviam se esquecido de que o Morro do Castelo não era abastecido de água e que qualquer sucesso que eles pudessem esperar dependeria de um golpe de mão. Mas desapontaram, não somente com a natureza da posição que haviam ocupado, como porque um estratagema muito engenhoso por eles planejado para obter armas e munições das Ilhas das Cobras, foi frustrado pela rapidez do Capitão do Porto que lhes tomou o barco exatamente no momento em que iam realizar o intento. Nada poderá exceder a excitação que reinava na cidade. Comerciantes trataram de colocar seus papéis, dinheiro e joias a bordo dos navios no porto. Madame do Rio-Seco afirmou a uma amiga, que logo que chegou em casa, de volta do Teatro, tirou todas as suas joias, pô-las no vestido de sua criada, e procurando toda a roupa suja da casa, pôs um colar de brilhantes, dentro de uma meia, outro dentro de uma touca de noite, e assim por diante, e então, amarrando tudo junto numa trouxa, resolveu, se a casa fosse arrombada, deixar bastante prata pelas salas para ocupar os saqueadores, enquanto ela, como se fosse uma lavadeira branca, procuraria fugir com a roupa suja na cabeça e atirar-se no primeiro barco de pesca, remando para o navio inglês mais próximo. Felizmente, porém, todos esses preparativos e alarmes foram em vão. O Príncipe e seus conselheiros tomaram as suas providências tão judiciosas e eficientemente que, no início da tarde, os ocupantes do Morro do Castelo se renderam; a última guarda portuguesa marchou para fora do palácio e a primeira guarda brasileira tomou-lhe o lugar, para nunca mais ser substituída nem por uma hora. Os regimentos rebeldes portugueses foram mandados para o outro lado da baía, onde ficam os armazéns públicos chamados Estabelecimentos de Bragança[44]. Muitos poucos dias foram necessários à obtenção de transportes que os levassem para Lisboa. Os oficiais, contudo, ameaçavam abertamente voltar ao Rio, ou descer na Bahia ou Pernambuco, e punir seus inimigos. Mas parece que ou mudaram de ideia ou os comandantes dos Transportes foram inflexíveis, porque chegaram a seu destino e tiveram que comunicar a presença a contragosto, às Cortes, sem o Príncipe que eles se haviam comprometido a levar para o colégio!

Ainda que tudo tenha terminado tão bem politicamente, Dom Pedro teve que lamentar a perda de seu único filho, em consequência da desarrazoada conduta da ama, a cujo cargo a criança foi mandada, juntamente com as princesas e suas damas, de São Cristóvão para Santa Cruz, a cinquenta milhas para o interior, antigo estabelecimento dos Jesuítas, mas então um palácio de campo favorito.

Foi nesta crise que deixei o Brasil e não voltei a ele senão ao cabo de doze meses... Durante este tempo, as diferentes capitanias concordaram em reconhecer Dom Pedro como Imperador, com a condição dele declarar o Brasil separado e independente de Portugal, renunciar por si e por seus herdeiros no Brasil, para sempre, a todas as pretensões ao trono de Portugal e, no caso de qualquer ramo de sua família ser chamado ao trono português, exigir, da parte dele, um solene ato de renúncia ao Brasil.

A Constituição devia ser, pois, representativa e modelada muito mais pela dos Estados Unidos do que pela da Inglaterra e o Poder Imperial, alguma coisa entre o Presidente Americano e o Soberano limitado da Inglaterra. As principais pessoas que aconselhavam Dom Pedro por esse tempo e que eram, de fato, seus autores, eram os três irmãos de nome Andrada. O mais velho, José Bonifácio, era um homem de raro talento. A uma educação europeia ele havia acrescentado o que a experiência poderia fornecer pelas viagens. Havia estudado todas as ciências que imaginou poderiam ser vantajosas aos interesses locais e comerciais do Brasil. Lia a maior parte das

---

44. Sobre os acontecimentos dos dias 11 e 12 de janeiro de 1822, veja *Revista do Instituto Histórico*, tomo XXXVII, parte 2ª, ps. 341-366. (E.)

modernas línguas da Europa e falava várias delas com correção. Quando o conheci, sua estatura naturalmente mediana ainda diminuíra, em parte pela idade e em parte por uma curvatura habitual. Seu segundo irmão era um alto e belo homem, longe de com ele ombrear em caráter ou em cultura, mas apaixonadamente orgulhoso de sua pátria. Havia estudado tudo que se refere ao setor militar nas melhores escolas da Europa. O terceiro irmão estudara direito nas universidades portuguesas; era moreno e tinha mais o aspecto de português ou brasileiro que qualquer dos outros.

Esses irmãos eram, naturalmente, apoiados por muitos proprietários, mas eram os verdadeiros dirigentes do Estado. Dom Pedro, a conselho deles, havia visitado todas as capitanias do sul, onde se tornara extremamente popular, em parte pelas maneiras francas e alegres e em parte pela sua resistência em suportar a fadiga, as vicissitudes do tempo e toda incomodidade pessoal. Frequentemente, após cavalgar durante um dia inteiro por estradas ínvias e perigosas, e molhado até os ossos com as chuvas tropicais, havia se contentado em jantar um bocado de toucinho e farinha de mandioca e descansar, durante a noite, protegendo-se do barro úmido somente com uma porta ou uma janela arrancada do portal.

As capitanias do Norte, posto que as primeiras a reclamar Independência, estavam então de novo unidas a Portugal, não porque os sentimentos dos habitantes houvessem mudado, mas porque as condições físicas e geográficas destas colônias as tornavam, no momento, impossibilitadas de romper os grilhões de Portugal. Só as capitanias do Sul possuem cidades no interior, comércio interior e um tráfico não dependente inteiramente da costa marítima. Os governos do Norte, pelo contrário, não tinham cidades a não ser as que ficavam junto ao mar e que, por esse tempo, quase não serviam senão para comércio, recebendo mercadorias manufaturadas, vinhos e escravos, em troca dos produtos nativos do interior. Apesar de possuírem algumas das melhores madeiras de construção naval, poucos navios haviam sido lá construídos até a emigração dos Braganças de Portugal. Nas terras secas além de Pernambuco e Ceará, os habitantes, em muitas ocasiões, são obrigados a demandar a costa, pela falta d'água nas vilas e fazendas dos plantadores de açúcar e algodão. Daí, as cidades costeiras e, consequentemente, os distritos delas dependentes, ficarem à mercê do que tiver o domínio do mar, até que surjam cidades no interior e as planícies e vales se tornem bastante habitados para criar uma circulação interna, suficiente para viver sem proteção e, em caso de necessidade, para resistir à influência dos portos. Dom Pedro, e seus ministros estavam suficientemente ao par tanto de suas fraquezas quanto de suas forças. Daí ter o príncipe pago sua primeira dívida aos distritos sulinos, menos dependentes do mar, e ter deixado, temporariamente, as regiões do Norte ocupadas pela frota de Dom João VI, e pelos poucos soldados portugueses que ainda permaneciam no país. Entretanto, o Governo enviou uma mensagem ao Chile, onde Lord Cochrane acabava de chegar, após destruir o último navio que a velha Espanha havia conseguido enviar através do cabo Horn, para opor-se à recém obtida Independência do Oeste da América do Sul. Convidaram esse grande capitão a vir para o Brasil para assumir o comando da nova Esquadra Imperial e servir a Dom Pedro, que havia sido aclamado primeiro Imperador do Brasil Independente, não para conquistar as Províncias do Norte, mas para ligá-las ao Imperador e ao Sul independente, devolvendo à Europa esquadras e exércitos, por meio dos quais o governo beato dos Braganças da Europa pensava manter o Brasil na condição vergonhosa de nação conquistada.

Não é do nosso intuito agora dizer de que maneira as promessas feitas a Lord Cochrane e aos oficiais e soldados que o quiseram acompanhar foram cumpridas ou por que foram quebradas. Basta dizer que Lord Cochrane aceitou o convite e trouxe vários oficiais prestantes para o serviço. À sua chegada ao Rio de Janeiro, a primeira dificuldade surgiu do desejo bem natural no Imperador, de que o título de Comandante em Chefe ficasse com um Oficial seu, que havia seguido sua sorte e abandonado a Corte Portuguesa. Lord Cochrane, porém, estava muito bem prevenido pela sua experiência, de que seria inútil tentar qualquer serviço estrangeiro, especialmente da magnitude do que ele era chamado a realizar, enquanto fosse deixado a qualquer outro oficial uma sombra de pretensão a intervir e insistiu em ser Comandante em Chefe, para todos os efeitos, enquanto seus serviços fossem necessários para libertar as regiões do Norte do Brasil do poder dos portugueses. O bom senso de José Bonifácio de Andrada havia compreendido desde o início que isto era absolutamente necessário. Mas foi inacreditável a dificuldade que encontrou em convencer o resto do Conselho de sua opinião. Afinal foi conseguido e em cerca de quinze dias estava ele embarcado no navio de guerra Pedro Primeiro, armado e equipado para o serviço ativo e saindo fora do porto do Rio com um número conveniente de fragatas para bloquear a Bahia.

Durante o tempo em que as fragatas estavam se preparando, a atividade do Imperador era antes a de um jovem oficial recentemente nomeado do que um soberano que iria nomear os outros chefes. Chegava a bordo dos navios todas as manhãs às seis horas, apressava os armadores, intervinha nos navios de provisão, exigia o impossível dos tanques de água, balançava-se pelas cordas de convés em convés até as mais baixas partes do porão, recusando todo auxílio de escadas ou outras comodidades e, na sua alegria, trazia a Imperatriz para bordo, a fim de compartilhar do novo prazer que Ela apreciava cordialmente. É verdade que o defeito de que Dom Pedro foi muito acusado — inspeção demasiado minuciosa, que não é uma qualidade de rei, o gosto de governar coisas pequenas — se revelou aqui e ali. Mas se considerarmos as circunstâncias do país, a novidade que apresentava o exame da eficiência dos subordinados em atividade, e ainda a falta completa de experiência por parte de Dom Pedro I, a falta parecerá bem venial.

Depois que a frota partiu, algumas pequenas coisas que o Imperador havia percebido ao tempo em que estava inspecionando os navios, mas que não tinham sido espalhadas, tanto na Alfândega como nas tesourarias da alfândega, foram então por ele reformadas. Por isso foi ele visto por muitos dias, logo que salvava o canhão da madrugada, saindo os portões de S. Cristóvão para fazer uma visita inesperada a uma ou outra das repartições públicas. Aí chegado, corria de mesa em mesa com um caderno na mão, tomando nota do nome de cada funcionário ausente e deixando ordens para que esta ausência fosse satisfatoriamente justificada. Algumas vezes seus esforços eram mais visíveis. Um dia, por exemplo, tendo sabido que os comerciantes de roupas e artigos de algodão na rua principal usavam medidas desiguais, dirigiu-se pela madrugada à Alfândega, pediu a medida padrão do Império, seguiu com ela pela rua, entrou de loja em loja, e onde encontrava uma medida abaixo ou diferente do padrão, tomava-a sob o braço. Antes de alcançar seu cavalo e ajudante de campo, no fim da rua, já havia reunido um feixe de réguas suficiente para um litor romano.

Não foi muito depois da partida da esquadra que a primeira Assembleia Legislativa se reuniu. A época era de extraordinária excitação. O Imperador, a Imperatriz e a filha mais velha estiveram presentes. Era o acontecimento mais importante para o Brasil desde que Cabral havia chegado às suas praias. Realizou-se a 3 de maio de 1823. Na Fala do Trono da abertura o Imperador discriminou os males da forma de governo do Brasil no momento e falou com grande ênfase das ordens injustas e arbitrárias das Cortes de Lisboa, assegurou à assembleia que tendo, após madura deliberação com o ministério, chegado à conclusão de que a sua presença no Brasil era necessária para realizar a grande medida da Independência, ele aqui permaneceria. Prosseguiu, então, mencionando as várias medidas benéficas que haviam sido tomadas desde que o povo o havia escolhido para Imperador e concluiu ratificando de modo mais solene, na presença da Assembleia, a promessa que havia feito na coroação (1º de dezembro de 1822).

Após ter falado o Imperador, o Bispo da Diocese, na qualidade de Presidente da Assembleia, fez uma curta resposta, e quando o Imperador deixou o edifício da Assembleia as aclamações do povo, que estava reunido na praça pública, estrugiram e pareciam repetir-se até São Cristóvão pelos grupos de pessoas que se alinhavam pelo caminho em que passou com a Imperatriz e a filha.

O dia se encerrou como todos os dias importantes no Brasil — com um espetáculo de gala[45]. A peça, que foi montada para ocasião, chamava-se o "Descobrimento do Brasil". Apareceu o Estandarte Imperial com as palavras inscritas: "Independência ou Morte". Isto era completamente inesperado e provocou as mais longas e vivas manifestações e palmas que eu jamais vira. Dom Pedro escondeu o rosto por um momento. Observou-se então que ele estava extremamente pálido e as lágrimas corriam-lhe pelas faces. Pelo final da peça, as aclamações se repetiam e os gritos de *"Viva a Pátria", "Viva o Imperador", "Viva a Imperatriz"* e *"Vivam os deputados"* se ouviram dos espectadores. Um dos ministros avançou então e propôs um viva ao *"leal povo do Brasil"*, que foi secundado entusiasticamente. E assim se encerrou este importantíssimo dia.

Por muitas semanas após a abertura da Assembleia, as deliberações se processaram tão bem quanto possível. As notícias dos portos do Norte eram favoráveis. A esquadra de Cochrane havia feito muitas presas, especialmente de armas e munições, que os portugueses estavam tentando contrabandear para a

---

45. O espetáculo em honra da Assembleia Geral Legislativa e Constituinte, em 3 de maio de 1823, foi assim descrito pelo *Diário do Governo*, de 5 do mesmo mês:

"... Esteve à noite iluminada toda a Cidade com profusão de luzes extraordinárias, e pelas oito horas da noite apareceu S.M.I. no Theatro, onde foi recebido com iguais aclamações. Ali achavam-se também quatro camarotes a cada um dos lados do S.M.I., ornados com o maior aceio, e destinados para os nossos Deputados. Principiou o espectaculo pela recitação de um excelente elogio dirigido a S.M.I. e à Assembleia; seguiu-se-lhe a representação da Peça intitulada *Os Tártaros na Polônia* , concluindo o divertimento uma soberba dança alegórica, em que se representou o Descobrimento do Brasil por Pedro Álvares Cabral, de que o dia de hoje aniversário. Quando baixou o Gênio com a Bandeira do Império e a desenrolou sobre o Theatro, todos os espectadores subitamente se puseram de pé, e as aclamações, os vivas ao Império do Brasil, à nossa Independência foram, e com tal enthusiasmo, pronunciados, que seria impossível à mais hábil pena descrevê-los". — (E.)

Bahia. O Ministério dos Andradas parecia ser tão justo e sábio que ninguém duvidava de sua longa permanência e de que ele obteria para o Brasil uma Constituição que tornaria a Independência do Brasil uma benção, e permitiria ao país progredir mais rapidamente que os Estados Unidos, abolindo não somente o comércio de escravos, mas a própria escravidão. De minha parte fui obrigada a me satisfazer com a leitura dos relatórios, tais como foram publicados no *Diário da Assembleia*, pois que fiquei confinada em minha casa, durante muitas semanas, com uma grave moléstia. Durante esta doença, recebi mais de uma carta da Imperatriz, dizendo que lhe tinham falado de minha situação de isolamento e de minha doença; que ela desejaria que eu me considerasse sob a sua especial proteção enquanto permanecesse no Brasil e que apelasse para ela se precisasse de qualquer espécie de assistência. Quando fiquei boa, não pude deixar de dizer a José Bonifácio, o Ministro, por quem haviam sido enviados os recados, que ficaria muito satisfeita com qualquer oportunidade de apresentar-me a ela e agradecer-lhe pessoalmente. Aconteceu que Lord e Lady Amherst haviam parado no Rio[46], na viagem que fizeram à China nessa mesma ocasião, e não havendo protocolo então no Rio, Sua Majestade marcou minha visita para o mesmo dia em que Lady Amherst lhe devia ser apresentada pela mulher do cônsul inglês, em São Cristóvão, de modo que me vi sozinha com estas duas

---

46. William Pitt, conde Amherst d'Arakan (1773-1857). Foi embaixador da Inglaterra na China, onde se recusou ao ceremonial do Ko-tou; foi em seguida governador geral da Índia, e conquistou uma parte da Birmânia. Nessa viagem para a Índia, Lorde e Lady Amherst pararam no Rio de Janeiro. Das *"Notícias Marítimas"*, do *Diário do Governo*, de 14 de maio de 1823, verifica-se: "Entradas no dia 12 — Inglaterra pela Madeira e Tenerife, 54 dias. Nau ingl. *Júpiter*. Com. o Cap. de Navio Kaestyohalen, passageiro o vice-rei de Calcutá e mais Índias, com sua família".

Do Diário citado, de 24 de maio de 1823:

"Sahidas do dia 22 – Cabo da Boa Esperança. Nao ingl. Júpiter. Com. Westphal, transporta o governador dos Estados Inglezes na India Lord Amherst, com sua comitiva".

Canning, para evitar a atenção da Europa, incumbira Lorde Amherst, seu amigo particular, de entender-se reservadamente em sua passagem pelo Rio de Janeiro, com D. Pedro e José Bonifácio a respeito do reconhecimento da Independência do Brasil, ligando esse negócio à abolição do tráfico de escravos. Conf. Tobias Monteiro, História do Império: o Primeiro Reinado, tomo I, os. 331, Rio. F. Briguiet e Cial., 1939.

A entrevista de Lady Amherst com a Imperatriz, de que trata Maria Graham, foi assim noticiada pelo Diário do Governo, em 23 de maio:

"Rio de Janeiro, 22 de maio. — S.M.I. foi para Santa Cruz. Lady Amherst, esposa do Lord deste título, governador da Índia, foi introduzida à Augusta Presença da Imperatriz pela Camareira Mor, segunda-feira passada ao meio-dia.

"No mesmo dia deu um grande chá em casa do Consul da Inglaterra e entre os convidados Brasileiros viu-se o Exmo. Ministro dos Negócios Estrangeiros".

A Lady Amherst foi dedicado o gênero *Amherstia*, de Leguminosas cesalpináceas, cuja única espécie que se conhece é uma das mais admiráveis produções da flora indiana. — (E.)

mulheres, no grande salão de recepção da Vila Imperial, durante os dez minutos (pois não foi por mais tempo) em que a Imperatriz nos deixou esperando. Depois de ter acabado sua pequena conversa com Lady Amherst, sem esperar pela minha aproximação nem mesmo que a Camareira Mor me apresentasse, como eu esperava certamente que ela faria, a Imperatriz avançou rapidamente para mim e tomando-me pela mão falou-me de maneira delicada e afetuosa; desejou que eu não deixasse logo o Brasil e contou-me que o Imperador desejava muito ver-me, que ele havia conversado com seu médico sobre meu caso; que pensava que o meu médico me havia dado calomelanos demais e pouco óleo de rícino. Este foi, creio eu, o principal assunto da conversa que durou bastante para que *a Senhora Consulesa* imaginasse que se havia tratado mais de política do que eu jamais pensara. Creio realmente que ela, e várias outras pessoas me julgaram, por algum tempo ao menos, uma segunda Afra Behn.

É estranho, mas verdadeiro: nunca soube como ou quando surgiu a ideia de me tornar governante das princesinhas. Quem primeiro me perguntou se eu aceitaria o cargo foi o Sir Thomas Hardy, que então comandava a esquadra inglesa da região da América do Sul. Sem imaginar que ele estivesse no segredo, respondi: "certamente". E acrescentei: "que coisa deliciosa, salvar esta linda criança das mãos das criaturas que a cercam, educá-la como uma dama europeia — ensinar-lhe, já que ela terá de governar este grande país, que o Povo é menos feito para os Reis, que os Reis para o Povo". Se estas palavras foram repetidas a algum dos Andradas como um sério plano de minha parte, não sei. É certo que desde então recebi da parte deles uma grande consideração, e finalmente, através de algumas de suas relações, uma intimação direta. O Imperador e a Imperatriz esperavam que eu requeresse formalmente o cargo que eles já haviam predeterminado conceder, a fim de nomear-me sem demora governante das Princesas Imperiais. [47] Confesso que fiquei arrebatada pela ideia de educar uma pessoa de cuja educação e qualidades pessoais a felicidade de todo o Império devia depender. Imaginei que o Brasil poderia, sob um melhor governo, atingir o que nenhum país, salvo o meu, jamais alcançara. Nunca tive muita fé em novas constituições, feitas para se despirem como vestidos, sempre que os homens se sentem cansados das antigas formas, e sabia que o melhor de

---

47. V. Carta de Maria Graham à Imperatriz, de 13 outubro de 1823, pg.29; Resposta da Imperatriz, a 15. Pg. 31.

nossas próprias instituições havia crescido juntamente com a nação, como a casca do nosso carvalho se vai ajustando em tamanho e em feitio à medida que a árvore avoluma o seu tronco, seus ramos e sua raiz. Contudo, pensei ser possível que, livre das Ordenações Portuguesas e do direito colonial costumeiro, auxiliada pelas determinações da Igreja (a qual, posto que corrompida, ainda não posso deixar de considerar perfeitamente adaptada às necessidades do povo, como a mais simples forma de religião), uma tal Constituição pudesse ser mantida, já que não interferia demais com o que tinha até então sido olhado com veneração e pudesse regular tudo o que o país estava necessitando: criação de tribunais imparciais, impulsionamento da indústria e do comércio, abolição da escravidão e seus males consequentes, e acima de tudo, manutenção da paz. Se posso ser lamentada de ter afagado essas esperanças, posso desculpar-me dizendo que os Andradas, afinal, pensavam comigo no assunto, e que, até então, o próprio Imperador se havia manifestado, ainda mais entusiasticamente do que eu jamais ousara fazer, a respeito das perspectivas do Brasil independente da Mãe Pátria e livre internamente. Destas ideias, ele se havia embebido, para grande escândalo de poucos velhos nobres portugueses que permaneciam no país, em certas sociedades deliberantes, a que comparecia incógnito e eram então estigmatizadas com o nome de *Clubes Jacobinos*. Foram estas sociedades fomentadas no Rio, durante a última campanha que a Europa fez a Napoleão, mas os restauradores, de ambos os lados do Atlântico, as destruíram desde que atingiram seu objetivo.

Contudo, antes que pudesse mesmo pedir ou aceitar meu cargo, um acidente se deu que, com certeza, produziu, afinal, os mais graves efeitos para o Brasil e para Portugal. O Imperador, ao passear por umas florestas virgens, não muito longe do Rio, caiu do seu cavalo e quebrou a clavícula[48]. Isto necessariamente prendeu-o em casa. O seu médico, temendo,

---

48. Sobre a queda de cavalo que deu D. Pedro I, em 30 de junho de 1823, pelas 6 horas da tarde, vindo de sua chácara Macaco, e ao chegar à ladeira do Paço de São Cristóvão, publicou o *Diário do Governo*, de 10 de julho, uma longa *"Descrição histórica da moléstia de S.M. o Imperador"*, e *"Diário do seu estado, e tratamento sucessivo até ao dia 9 do corrente"*. O relatório do médico de semana dr. Antônio Ferreira França acusa o seguinte:

"1º Fratura direita na segunda costela esternal ou verdadeira do lado direito, no ponto de reunião de seu terço médio com o posterior;

"2º Fratura indireta ou por contra pancada na terceira costela esternal do lado esquerdo, compreendendo o seu terço anterior;

"3º Diátese incompleta na extremidade esternal da clavícula esquerda;

"4º Enfim, grande contusão no quadril, com forte tensão nos músculos que cercam a articulação femeroilíaca, e com dor gradativa, principalmente no nervo ciático, que, ao depois, ganhou intensidade notável com explicação de dores agudíssimas, e de caráter convulsivo. — (E.)

como disse, a febre, proibiu-o de ver seus ministros ou de tratar qualquer negócio de importância. Pode-se imaginar como a estrada entre o Rio e São Cristóvão ficou todos os dias cheia de pessoas que iam perguntar pelo Imperador. Num dia, ninguém sabe como, uma carta foi dirigida ao Palácio contendo acusações contra os três Andradas, atribuindo-lhes injustiça, crueldade, pelas prisões de muitos cidadãos de São Paulo, e outras medidas opressivas, tanto diretas como indiretamente, ligadas principalmente com os relatórios dos membros da nova Assembleia Geral. Os signatários desta carta foram, contudo, descobertos: uma Senhora, cujo nome havia sido até então sussurrado no tom mais suave do mexerico, havia ultimamente se mudado de São Paulo, onde o Imperador a havia visto pela primeira vez, para a povoação junto à Quinta Real de São Cristóvão. Seu pai, posto que português de boa família, mantinha o que se chama, tecnicamente, uma loja em São Paulo. Devo explicar que uma venda, em geral na América do Sul, além de ser realmente uma loja para o varejo da maioria das mercadorias europeias, ainda tem o caráter de um café e de uma taberna. Foi nesta venda que Dom Pedro I se hospedou quando fez sua excursão política pelas capitanias do sul. As quatro filhas solteiras do hospedeiro foram chamadas para entreter o Real visitante com música e dança. Alguém observou que a pérola da família, ou antes da cidade, estava ausente e se chamava Madame de Castro. Seu marido era oficial da Milícia local. O pai foi polidamente solicitado a mandar buscar a pérola. Veio e foi julgada irresistível! Seu marido recebeu um emprego muito acima de suas esperanças, numa província distante, com uma combinação no sentido de não ser acompanhado pela mulher. O marido de uma outra irmã recebeu ordens para partir para São Cristóvão, onde recebeu um emprego, com uma pequena casa. Foi-lhe sugerido que nada poderia fazer de melhor do que convidar sua bela cunhada a viver com ele. Não é extraordinário que com tal encorajamento as outras irmãs se casassem.

    Não sei exatamente o momento em que nasceu uma meninazinha, filha de Dom Pedro e da Senhora de Castro. Ela foi, mais tarde, a causa de um grande agravo à Imperatriz e ocasionou uma explosão de mau humor de Dona Maria, agora Rainha de Portugal, que posso bem registrar aqui. Quando alguns anos depois esta meninazinha foi apresentada no palácio, o Imperador determinou que ela deveria jantar com Dona Maria. A Princesa recusou a sentar-se à mesa com a que ela chamava "a Bastarda". O Imperador insistiu e ameaçou dar em D. Maria uma bofetada, ao que se voltou ela orgulhosamente para ele e disse: "Uma bofetada! Com efeito! Nunca se ouviu dizer que uma Rainha, por direito próprio, fosse tratada com uma bofetada!"

Uma criança mais velha, também filha da Madame de Castro, foi imediatamente anunciada pelo Imperador e posta na melhor escola do Rio de Janeiro. Várias das melhores famílias retiraram seus filhos do colégio. Muitas falaram abertamente da ofensa que lhes havia sido feita com o enviar uma filha de tal pessoa entre seus filhos, e é certo que, em parte pelo sentimento geral sobre a situação, mas principalmente por um verdadeiro respeito pela Imperatriz, as relações com Madame de Castro eram encobertas quanto possível, nem ela se apresentava em público senão com suas irmãs e seu cunhado.

Mas voltemos ao Imperador. Acreditava-se geralmente, e creio que era verdade, que durante seu isolamento em razão do acidente, ficaram sem ver Madame de Castro em pessoa, mas, na família de Bragança, alguns Oficiais Menores, ou como nós chamaríamos, *criados*, têm o privilégio de aproximarem-se de seus senhores em qualquer tempo e em quaisquer circunstâncias. Por muitas gerações, o Barbeiro era a figura principal no Palácio de São Cristóvão. Além de suas ocupações normais de criado incumbido da barba, era mordomo da casa, tesoureiro particular, diretor da cozinha, e até pagava as empregadas da Imperatriz e as várias amas portuguesas e outras velhas que haviam acompanhado de Lisboa a Família Real. Esse homem era inteiramente do partido da Castro, e as reuniões e tagarelices em torno da cama do Imperador eram conduzidas sob sua direção e compostas pela maior parte das relações da família da Madame. Essas pessoas também não estimavam a Imperatriz, porque era, como diziam, "estrangeira". Aborreciam-se porque o Imperador não tinha casado com uma tia ou prima, portuguesa ou espanhola, e, ainda que não manifestassem abertamente os sentimentos, também de boa vontade favoreciam as pessoas que eles esperavam poder diminuir a influência da Imperatriz. Todos concordavam em odiar os ministros, que já haviam reduzido algumas das prerrogativas do palácio e ameaçado reformas mais adiantadas. Essas manobras e outras da mesma natureza enfraqueceram naturalmente a influência dos Andradas junto ao Imperador. Eles ainda dirigiam os negócios públicos, é verdade; presidiam a Assembleia Geral e recebiam os relatórios dos subsecretários, mas em vez do acesso fácil de que gozavam junto ao Soberano, tudo agora devia passar pelos canais oficiais. Se os relatórios não podiam ser suprimidos ou alterados, ao menos tomavam-se providências para apresentá-los em horas e circunstâncias mais ou menos agradáveis, de modo que o Imperador pudesse seguir o partido antiministerial. Em vez da quase infantilidade e bom humor com que o Imperador recebia geralmente José Bonifácio, este homem respeitável era visto agora esperando numa antecâmara durante horas, ainda que os mais importantes negócios do Estado estivessem parados. Mas ele, e sua família, eram ainda muito necessários para poderem ser dispensados, e assim as coisas caminharam até que o Imperador se restabeleceu. Voltou, então, aos costumes antigos da confiança em seus verdadeiros amigos. Aprovou o que nunca devia ter hesitado: a remessa de navios e recursos para a Esquadra da Bahia e o exército se tornou mais eficiente.

Foi neste ponto das relações entre o Dom Pedro e seus ministros, que deixei o Brasil pela segunda vez, tendo prometido ao Imperador voltar no fim de um ano para dirigir a educação das princesas, e recebido também várias encomendas da Imperatriz. Ambos manifestavam-me o desejo de que não poupasse esforços nem despesas na obtenção dos livros e outras coisas que julgasse necessárias para os nossos futuros estudos. A família de José Bonifácio despediu-se delicadamente de mim e manifestou o desejo de que encurtasse minha estadia na Inglaterra para seis meses em vez de doze. Dos principais cavalheiros pertencentes ao Paço, Dom João de Souza, que se pensava ter mais influência que qualquer outro português junto ao Imperador e a Imperatriz, insistiu comigo para que voltasse cedo, pois a falta de uma dama europeia nos aposentos da Princesa tornava-se dia a dia mais visível. Com todas essas animações a voltar e assumir a responsabilidade que havia aceito, estando a meu favor o Imperador, a Imperatriz e os ministros, com uma forte esperança de ser útil numa escala muito mais vasta do que pudera haver esperado, não compreendi que seria tão importante e arriscado voltar ao Brasil, como muitos disseram, especialmente depois do fracasso de minhas esperanças. Embarquei para a Inglaterra, mas fui imprudente até o ponto de não deixar nenhum correspondente que me contasse as coisas que eu quisera saber. Mas talvez isso de nada valesse, pois uma carta que a própria Imperatriz me escreveu, do próprio punho, dizendo que o Imperador me concederia outro ano de licença, nunca me chegou às mãos. Só muito depois de minha volta ao Brasil, a Imperatriz, compreendendo que nunca a havia recebido, insistiu em que ela fosse encontrada. Se esta carta me tivesse alcançado a tempo de evitar o meu embarque, eu teria sabido de mudanças dos negócios públicos, tanto com referência ao Império quanto ao Palácio e, provavelmente, não teria nunca atravessado de novo o Atlântico[49].

Enquanto estava em Londres, dois cavalheiros, que eu havia conhecido ligeiramente no Rio, e que certamente eram representantes do governo brasileiro neste país, procuraram-me e não somente instaram pela minha ida o mais depressa possível, como sugeriram a vantagem de levar comigo várias coisas para uso das princesas, que não julguei necessárias de maneira alguma, e que, felizmente para mim, deixei para trás[50]. Finalmente, decidi voltar e cheguei em Pernambuco em trinta e dois dias.

Parece que era uma fatalidade encontrar eu aquela cidade sitiada. Mas desta vez o chefe independente teria que combater um inimigo muito mais poderoso do que aquele que cercava Luiz do Rego na minha primeira visita. Lord Cochrane e sua frota estavam bloqueando a praça, após haver subjugado a Bahia e aumentado a frota de Dom Pedro, tomando vários dos principais navios portugueses. O navio inglês, está claro, era neutro e, após eu ter recebido as visitas da maior parte da esquadra imperial fora da barra, a primeira casa em que entrei ao chegar à cidade foi a de Manuel de Carvalho, Comandante em Chefe do inimigo. Encontrei-o à mesa, almoçando ou jantando, não posso dizer exatamente, com todo o seu conselho, 12 ou 14 pessoas; toda a escadaria e o pátio estavam cheios do que chamaríamos de multidão, parte da qual espiava pelas várias portas, de tempos em tempos, pensando que, como o nosso paquete havia sido visto em entendimentos com a esquadra de bloqueio, poderíamos ter trazido algumas propostas do Almirante para a libertação da cidade. Creio que Carvalho nos recebeu na sala, em conselho e cercado pelo povo, para não ser suspeitado de comunicações secretas. Uma proclamação imperial de caráter severo havia sido espalhada poucos dias antes; de algum modo havia conseguido entrar na cidade. Acreditava-se que tivesse sido redigida por Lord Cochrane e causou grande alarme por causa da ameaça que continha, de afundar jangadas carregadas de pedras no único canal pelo qual se penetra no cais, e assim arruinar o comércio da praça. Carvalho perguntou-me se realmente julgávamos o Almirante capaz de fazer coisa

---

49. Deste período é a carta de M. Graham à Imperatriz (s.d) escrita de Londres, pg. 31. A resposta da Imperatriz está à pg. 32. Entre as pessoas que tentaram dissuadir M. Graham de vir ao Brasil, estava Maria Edgeworth, pg. 148.
50. V. carta prevenindo a partida, pg. 35.

tão cruel. Respondemos que estando ele a serviço de Sua Majestade e dirigindo a guerra por mar, não tínhamos dúvida que ele haveria de executar todas as ordens e realizar todas as ameaças, a não ser que as condições em que a cidade pudesse ser poupada fossem cumpridas. Todo o Conselho exclamou que isso nunca se daria e como não era de nossa conta saber a esse respeito mais do que aquilo que pudéssemos ser úteis, já nos preparávamos para deixar a sala quando Carvalho se dirigiu a mim particularmente e disse que não estava certo de que talvez, para o futuro, seus concidadãos não achassem necessário aceitar as propostas do Imperador, sendo uma das primeiras a sua entrega. Quanto a ele, estava satisfeito de sofrer por uma boa causa. Mas que era filho de uma mãe idosa e pai de duas filhas órfãs de mãe, e que me suplicava, no caso de lhes faltar sua proteção, que empregasse qualquer influência que pudesse ter junto a Lord Cochrane para recomendá-las à sua misericórdia. Prometi isto prontamente, certa, porém, de que tal recomendação era completamente desnecessária, pois que talvez nunca tivesse havido comandante tão terrível para o inimigo antes da vitória, como tão misericordioso depois dela.

Não estivemos senão poucos dias em Pernambuco. O bloqueio continuou por algumas semanas[51]. Carvalho planejou fugir a bordo de uma fragata inglesa, na qual foi para os Estados Unidos, com o que a praça se rendeu e a esquadra partiu para o norte, contra Ceará e Maranhão, deixando Pernambuco entregue ao governador nomeado por Dom Pedro.

Chegando à Bahia, ainda que encontrasse o lugar oficialmente submisso ao governo imperial, era impossível deixar de perceber que uma grande dose de descontentamento existia e um grande desejo de formar uma república federativa, imitando a dos Estados Unidos. Nossa estadia aí foi, porém, de poucas horas e alcançamos rapidamente o Rio de Janeiro[52] e aí, quando o Capitão do Porto veio a bordo, soubemos que durante os meus doze meses de ausência, dois acontecimentos dos mais desastrosos para mim se haviam verificado: o primeiro — e maior — a expulsão dos Andradas,

---

51. Este mesmo Carvalho é hoje (1834), presidente de Pernambuco sob Majestade imperial o Sr. Dom Pedro II – (A) – Manuel de Carvalho Paes de Andrade não foi presidente da província de Pernambuco; mas foi senador pela Província da Paraíba do Norte, de 1834 a 1855,quando faleceu.
52. A.4.IX. 1824 (Nota do Ex. Oliveira Lima).

não somente do Ministério, mas do país; o segundo havia sido a morte de Dom João de Souza,[53] meu melhor amigo no palácio e a pessoa a quem a Imperatriz havia desejado que, na minha volta, eu me dirigisse. Tive, contudo, a satisfação de saber pelo piloto que o próprio Imperador havia dado ordens no sentido de que fosse dado aviso ao palácio logo que eu chegasse. E, sendo assim, o capitão do navio fez os sinais, mas em vez de esperar pelo barco imperial, que provavelmente não apareceria antes do pôr do sol, fui para terra com um amigo inglês que havia vindo ao paquete para dar-me as notícias, más como eram, e oferecer-me a sua casa na cidade até que eu me tivesse estabelecido no Palácio, tomar conta de minha bagagem e fazer mais o que me fosse necessário. Dirigi-me logo a São Cristóvão para esperar a Imperatriz, mas qual não foi minha surpresa, chegando ao portão, ao encontrar o Imperador, vagando sozinho, evidentemente de propósito, para me ver primeiro, ainda que primeiro se tivesse voltado, timidamente, como se não tivesse intenção de me falar. Estava como se tivesse levantado da sesta, de chinelos sem meias, calças e casaco leve de algodão listado, e um chapéu de palha forrado e amarrado de verde; apoiava-se com uma mão na barra de ferro que conduzia a porta principal e a outra mão apresentou para um *"shake-hands"* à *moda inglesa*, como ele disse. Fiquei muito satisfeita com a recepção que me foi feita. Felicitei-o pelo seu aspecto de boa saúde, ao que me respondeu interrogando-me sobre o enjoo de bordo. Disse-me então que subisse à varanda, onde encontraria um camarista da Imperatriz de serviço, que me conduziria aos seus aposentos particulares, enquanto ele próprio entraria por uma porta dos fundos

---

53. *O Diário do Governo*, de 31 de janeiro de 1824, estampou a seguinte necrologia de D. João de Sousa:

"O Ilmo. Sr. D. João Carlos de Sousa Coutinho, Viador de Sua Majestade Imperatriz, faleceu no dia 29 de janeiro. Uma violenta pneumonia foi a causa da sua morte na idade de 32 para 33 anos. S. Ex. frequentava a Universidade de Coimbra na época das mudanças políticas de Portugal; d'ali veio para esta Corte em companhia do Conde de Palmella, e foi nomeado Conselheiro da Fazenda. As belas qualidades, as virtudes morais, e Religiosas deste Ilustre Jovem farão sempre mui sensível a sua perda entre todos aqueles que o conheciam mais de perto. Aplicado ao estudo dessa sublime Filosofia amiga dos Reis e dos Povos; S. Ex. fazia aparecer em todas as ocasiões obvias o seu amor á Sagrada Pessoa de S. M. 1., e a sua firme adesão á causa do Brasil, em cuja prosperidade, como verdadeiro político, se interessava. A moderação do seu caractere era com um distintivo particular da madureza dos seus talentos, e realçava o brilho de todas as suas relações com os seus iguais, soam com uma nova força quando se referem a pessoas de tanto merecimento como S. Ex.; sobreviverá sua memória para receber os tributos da saudade, que lhe pagarão os seus amigos: e tudo quanto resta do homem moral sobre o teatro de sua existência".

D. João de Sousa era irmão do Conde de Linhares, e por sua morte a administração dos bens desse passou, em 17 de fevereiro do mesmo ano a D. Francisco de Sousa Coutinho. — Diário citado, de 23 daquele mês e ano. — Conf. Revista do Instituto Histórico, XXIX, parte 2 ª, PS. 278. — (E.)

para avisá-la de minha visita. Minha caminhada cerimoniosa pelo Palácio levou muito mais tempo que o passeio embaixo com Sua Majestade Imperial, pois encontrei a Imperatriz sentada numa antecâmara, onde me disse que havia ficado alguns minutos esperando-me. Perguntou-me logo se não havia recebido em Londres sua carta. Vendo que não, explicou-me que sua finalidade era adiar minha vinda. Que desde que o novo ministério havia subido, o Imperador se inclinara a dar ouvidos ao casamento de Dona Maria da Glória com seu tio Dom Miguel; que ela própria não apreciava o projeto, principalmente devido ao parentesco próximo entre as partes, ainda que, ficasse eu prevenida, entre portugueses e brasileiros, isto não era considerado um obstáculo. Ela, prevendo o tempo que deveria decorrer até esta negociação chegar a uma conclusão, me havia induzido a adiar minha viagem, pensando que talvez no ano seguinte Dona Maria pudesse estar indo para Portugal; que se a minha chegada fosse adiada até as proximidades dessa partida, ela confiaria com prazer sua filha aos meus cuidados, já que eu estava acostumada às viagens por mar e poderia cuidar da sua saúde durante a travessia, que não podia encarar sem pavor. Ela parecia duvidar da possibilidade de me mandar à Europa quando já tivesse assumido o cargo de governanta das quatro princesas. A Imperatriz contou-me então que o meu apartamento não estava pronto, ainda que o Imperador houvesse dado ordens particulares sobre esse assunto, logo que calculou que o paquete em que eu devia vir estava para chegar. Despediu-se então de mim, ou antes, despediu-me e manifestou vontade de ver-me no dia seguinte. Pouco antes de deixá-la, entrou o Imperador, vestido para o seu passeio da tarde, e de bom humor. Ofereceu-se a subir comigo ao sobrado, para mostrar-me os quartos, honra que eu, naturalmente, declinei, mas para não parecer ingrata às suas atenções, respondi, atendendo às suas perguntas sobre os meus gostos, que esperava que houvesse muitas estantes de livros. Não vi mais Dom Pedro até que me tornei moradora do Paço. No dia em que aí me apresentei, fui conduzida aos meus quartos pelo Barbeiro favorito e servida por minha própria negra, não havendo sido designado nenhum criado para mim, senão uma espécie de aguadeiro, escravo cujo serviço era carregar água duas vezes por dia, levar recados em geral, mas especialmente comunicar-se com uma espécie de vivandeiros que haviam formado uma colônia em torno do Paço para fornecer a seus habitantes (especialmente as senhoras) todas as delicadezas e prazeres que a real ucharia não podia oferecer.

Encontrei meus apartamentos bem no alto da ala ocupada pela Imperatriz e sua filha mais velha. Moravam elas no andar mais alto (antes do sótão). Ocupava eu o sótão que ficava sobre os quartos de Dona Maria; as damas do Guarda-Roupa ocupavam o que ficava sobre os quartos da Imperatriz. Naquele clima é um grande prazer morar nos altos. Nunca esquecerei o prazer da minha primeira manhã, quando abrindo minhas janelas em vez do barulho e do sujo da cidade deparei com os lindos jardins do palácio e as plantações de café que revestiam as montanhas da Tijuca, e senti o aroma das flores de laranjeiras, trazido por cada sopro da brisa matutina. Dispunha de sete pequenos quartos, três de um lado de um longo corredor e quatro do outro. De um lado estavam os quartos de dormir para mim, para minha criada e nossa cozinha. Do outro lado, verifiquei que o Imperador havia cumprido sua promessa e mobiliado as paredes de um quarto com estantes de livro de alto a baixo. Havia ainda uma pequena sala de jantar e duas pequenas salas de estar, bem suficientes para as nossas necessidades.

Recebi pelo Barbeiro um recado para aguardar ordens no apartamento da Imperatriz, quando ela e o Imperador estavam de volta do passeio da tarde. Entrementes as damas do Guarda-Roupa e o próprio Barbeiro, sob o pretexto de oferecer-me auxílio, permaneceram em grupo em volta de mim, olhando as coisas que a preta Ana e eu desarrumávamos. Muitas críticas eram feitas acerca de coisas da moda inglesa, de que as senhoras portuguesas e brasileiras não tinham noção e que, mesmo que o Barbeiro fosse um inglês, eu não teria ousado mostrar, nem também a preta Ana, que conhecia os costumes ingleses. Suas observações sobre a pequenez de minha cama divertiram-me. Era uma cama de campo que se dobrava dentro de uma mala. A pequenez e a modéstia de meu guarda-roupa foi outra coisa que os espantou, pois ainda que, de acordo com as suas noções, como viúva, eu só devesse andar de preto fora de casa, e de branco dentro de casa, esperavam enfim modas novas, laços e cetins, em vez de minhas sedas lisas, musselinas e cambraias. Salvei minha honra, contudo, com a forma de um chapéu que foi copiado em cinquenta cores diferentes antes do fim de uma semana. Alegraram-se também não pouco com algumas gravuras que eu havia tido tempo de enquadrar no Rio e que pendurei em vários quartos; chegaram a gritar de alegria ao ver uma Assunção da Virgem, que declararam ser um presságio de boa sorte, pois que havia sido por causa dela que minha aluna mais velha Dona Maria da Glória havia recebido esse nome. Quanto ao erro de confundir o Retrato de Rafael com o Arcanjo Rafael foi por demais interessante para que eu o corrigisse. O último caixote que pude abrir diante deles, já que a volta da Imperatriz se aproximava — e eu confesso que o escolhi maliciosamente — foi um pacote contendo um par de globos *Cary*, de dois pés, lindamente montados, e num canto do caixote, alguns instrumentos para fazer observações sobre o tempo e o clima, como um higrômetro de Leslie, cianômetro, etc. Os gritos de maravilhoso! Maravilhoso! só foram interrompidos pelo ruído dos cavalos do Imperador e eu não fiquei pouco satisfeita pela abertura de meus livros ter sido reservada para as horas sossegadas da noite ou a manhã cedo, quando resolvera que a preta Ana e eu arranjá-los-íamos nas estantes antes que pudessem ser vistos por qualquer dos nossos companheiros da tarde.

Desci, como estava combinado, para os apartamentos da Imperatriz, onde encontrei ambas as Imperiais Majestades e Dona Maria, que me foi formalmente apresentada como minha pupila, ainda que eu já a tivesse visto. Vários membros da corte estavam presentes, mas especialmente os que pertenciam à casa de Dona Maria. O Imperador, de maneira bem delicada e falando em tom um tanto alto, desejou que eu tivesse gostado de meus apartamentos e que o Barbeiro tivesse dado todo o necessário auxílio no desfazer das malas etc. Deu-me então uma carta que, disse ele, tinha resolvido que eu recebesse somente de suas próprias mãos, anunciando ao mesmo tempo o seu conteúdo, com altas vozes, para conhecimento dos presentes e, certamente, se as palavras transmitissem poder, eu teria, desde esse momento, a absoluta direção de tudo o que se referisse às Princesas (para usar as palavras de sua Majestade) moral, intelectual e fisicamente. Se a minha situação e conforto dependessem de boas palavras, de manifestações de perfeita confiança da Imperatriz ou de ordens dirigidas a todos do Paço, contidas no documento escrito que o Imperador pôs em minhas mãos, eu deveria ser de fato uma grande Dama; e se essa importância e autoridade pudessem produzir bem-estar, ocuparia uma das mais confortáveis posições! Mas, ai de mim, o Barbeiro estava atrás do palco e em breve apareceria.

Entretanto, estava eu extremamente satisfeita com os meus Imperiais Amos e minha pequena pupila que, por vontade de sua mãe, me mostrou todos os seus aposentos e disse que me esperaria às 7 horas na manhã seguinte, e após ter lhe beijado as mãos, como me haviam prevenido, pulou e passou seus braços pelo meu pescoço, beijando-me, pedindo-me que gostasse muito dela. Voltando ao meu quarto, li a carta do Imperador. Era muito cortês e se ele, ou qualquer outra pessoa, tivessem tomado medidas para garantir a situação, seja de acordo com os meus desejos, seja com as condições estabelecidas na ordem que era do seu próprio punho, tudo teria corrido bem. Mas logo na manhã seguinte nossos aborrecimentos começaram. Em primeiro lugar, quando fui para os apartamentos da Princesa, encontrei as criadas lavando-a, não no banheiro, mas numa sala aberta, por onde passavam os escravos, homens e mulheres, e onde a Guarda da Imperatriz sempre estacionava. Não pude achar direito que ela fosse assim exposta, completamente nua, aos olhos de todos os que aparecessem. As criadas recusaram-se a mudar esta prática imprópria, até que eu obtivesse uma ordem escrita do Imperador, dizendo que era muito difícil usar o banheiro. Realmente elas haviam-no utilizado para um fim diferente. A próxima coisa aborrecida foi o almoço. Serviram-lhe uma coxa de galinha cozida em óleo com alho. Ela tomou o alho do prato com os dedos e comeu-os. Um copo de vinho forte e água seguiu-se, e depois, com surpresa minha, café, torradas e doces. Nada disse no momento, mas resolvi falar particularmente e seriamente à Imperatriz, sobre as prováveis consequências de tal alimentação para a saúde de sua filha. As horas de aula foram mais satisfatórias. Ela tinha aprendido a ler francês com o padre Boiret[54] e a repetir uma das fábulas de La Fontaine (*O Corvo e a Raposa*) com grande graça, mas nunca esquecerei seu enlevo quando descobriu que as mesmas letras que lhe permitiam ler francês lhe serviriam para o português, e quando lhe apresentei o *Little Charles*, da Senhora Barbauld[55], traduzido para seu uso e li-o com ela, exclamou: "Todas estas palavras são portuguesas! " Pulou de repente da cadeira, tomou o livro e correu para o quarto de sua mãe para mostrar-lhe que deliciosa novidade havia descoberto e sem querer se deter para uma observação, correu para os quartos de seu Pai. Foi preciso a maior rapidez de um alto Ajudante de Campo para

---

54. A autora escreve sempre Boirée. — (T.)
55. Ana Letícia Aykin Barbauld (1743-1825), escritora e poetisa inglesa. Publicou muitos livros em prosa e em verso, destacando-se, entre eles, *Hymns in prose* e *Early Lessons*, que destinou à instrução infantil, com traduções em diversos idiomas.

Sua sobrinha Lucia Aykin publicou uma edição de suas obras, precedida de sua biografia. A versão portuguesa, *ad usum Delphini do Little Charles*, a que a autora se refere, é desconhecida. Mrs. Barbauld faleceu em 9 de março de 1825. (E.)

apanhá-la antes que ela entrasse na sala do Conselho. Depois disso, a leitura do português progrediu gradualmente, e o Padre ficou, creio eu, um pouco ciumento pela preferência que minha Pupila dava ao *"Little Charles"* sobre seu livro de fábulas francesas. Também não ficou ele muito satisfeito pelo fato, segundo ela própria disse, de aprender as fábulas que eu escolhia na metade do tempo em que aprendia com ele. Ela se deliciava extremamente às tardes, em ir ao meu quarto dos livros e ter permissão de procurar figuras. Uma vez, depois de ver no globo o tamanho do Brasil comparado com o de Portugal, dificilmente pude contê-la, tão ávida estava ela em mostrar esta maravilhosa diferença a todas as damas que se alojavam no meu andar, que ela fez reunir para esse fim. Narro estas pequenas circunstâncias para mostrar que a criança, ainda que pequena, tinha mente viva e inteligente, que, por uma educação europeia, poderia ser dirigida para tudo que é útil e nobre. Se disser ainda que ela era extremamente sensível, posto que capaz de um grande domínio sobre si, espero que não terei sido muito afoita, formando as mais altas esperanças no futuro. Dessa última qualidade devo dar um exemplo. Ela tinha sido sempre acostumada não somente a ter pequenos escravos negros para brincar e batê-los e judiar com eles, mas a tratar do mesmo modo uma pequena menina branca, filha de uma das damas. Observei que, nos seus muitos folguedos, ela não somente dava pontapés e batia nos negrinhos, mas esbofeteava sua companheira branca (uma pequena e tímida menina), com a energia e com o ânimo de uma tiranazinha indiferente. Eu havia falado, particularmente com a mãe desta menina, esperando que ela cooperasse comigo na correção deste costume impróprio, mas ela me respondeu que daria a morte a um filho que não julgasse uma honra receber uma bofetada de uma princesa. Vendo-me sem esperanças, portanto, de obter qualquer auxílio deste lado, procurei ver o que poderia fazer com a própria princesa, e, assim, na primeira ocasião, chamei-a e disse-lhe que não gostava que ela desse pancada em suas companheiras, perguntando-lhe, ao mesmo tempo, se ela não admirava as maneiras delicadas de sua mãe, melhores que as de qualquer outra Dama que ela houvesse visto, e a qual delas ela preferia antes assemelhar-se. "Oh" — disse ela — "todo o mundo diz que eu sou como o Papai, muito parecida". "Sim" — respondi eu — "mas as mulheres não devem mostrar sua vivacidade como os homens, e eu afirmo que sua mãe foi ensinada a ser delicada quando era uma princesinha como você mesma. Na nossa terra nenhuma pessoa grande tem permissão de bater em seus companheiros.

Além disso, das mulheres espera-se que sejam delicadas, especialmente as princesas que, não o sendo, podem talvez fazer muita gente infeliz. Portanto, não quero que bata mais em companheiras. Não fica bem a uma dama ou a uma Princesa".

Confiei no tempo para ver o efeito de meu pequeno sermão, mas não tive que esperar muito. Vi o seu fruto pelo menos logo na primeira que a Princesa teve as companheiras de jogo. Ouvia-a, como de costume, gritando muito e zangada ao falar com elas. Fui logo ao grupo e olhei para ela. Vi que sua face se tornara excessivamente rubra e que estava a pique de deixar que a paixão a dominasse. De repente caiu em si, deixou cair os braços estendidos e, correndo para mim, disse-me contente: "Não me portei agora como uma Dama ou uma Princesa".

Que havia muitas causas para contrariar estas boas intenções, não será preciso explicar, principalmente depois de haver narrado a resposta da mãe portuguesa às minhas tentativas no sentido de me ajudar a defender sua própria filha das violências da princesa.

Mas voltemos a Dom Pedro. Ainda que fosse regra do Paço que a parte em que morávamos a Imperatriz, Dona Maria, com todo o seu séquito, eu inclusive, devesse se fechar cada tarde muito cedo, e não abrir senão pouco depois do nascer do sol, o resto do palácio poderia considerar-se aberto tanto de dia como de noite. Aí o Imperador, seus auxiliares pessoais, as princesas mais moças, com toda a multidão de criadas portuguesas e agregadas, tinham sua morada, e se posso confiar no meu nariz, os pequenos fogões, montados junto à porta de cada apartamento, funcionavam até tarde da noite, pois por muito tempo depois de me ter sentado quieta para ler, a fumaça de óleo e de alho costumava subir pelos ventiladores, infiltrando-se pelas janelas para alegria da preta Ana, que costumava parar, aspirar e dizer: "Como é gostoso, Senhora!"

Não era raro que o primeiro som que ouvisse pela manhã fosse a voz de Dom Pedro, gritando aos colonos ou aos escravos da roça particular, para saber se estavam prontos a serem revistados. Raramente ele deixava de contá-los e examiná-los pessoalmente e era extremamente atento às suas necessidades e cuidadoso com a saúde deles. Pouco tempo depois de revistar os escravos, Sua Majestade dirigia-se à nossa ala do Palácio e chamava a Imperatriz para o passeio da manhã, e eu os reconheci muitas vezes, a meia milha do palácio pelos tiros de espingarda. Se havia alguma coisa relativa ao governo a ser feita, tal como armar navios ou equipar tropas, os passeios eram dirigidos ao cais, ou ao arsenal, e eles passavam frequentemente horas em barcos ou em navios, antes de voltar; nesse caso dignavam-se a comer um rápido almoço de galinha fria com ovos, de qualquer dos oficiais, em cujo departamento estivessem interessados. Às vezes visitavam as repartições públicas, ou mesmo as lojas particulares, como já mencionei. O passeio favorito era ao Jardim Botânico, onde o Padre...[56] tinha sempre uma galinha fria ou guisada, arroz, ou, ao menos, café e queijo para os Imperiais Visitantes. O objetivo do Imperador em ir tantas vezes a este estabelecimento era a esperança, hoje quase realizada, de que o cultivo de chá, introduzido no reino de seu pai, durante o ministério do Conde Souza[57], se estendesse de modo a tornar-se de importância para o Brasil. Nunca deixou de inspecionar a plantação e os alojamentos dos chineses, que ali se haviam instalado para o seu cultivo.[58]

Além do chá, o Imperador estava preocupado com a fruta-pão que parece adaptar-se ao clima admiravelmente. Cada ano, um certo número de mudas era cultivado e distribuído grátis a quem se interessasse pela fruta-pão, seja pelas especiarias ou outras frutas importadas da China ou das Índias Ocidentais para melhoria dos jardins brasileiros. Dificilmente se conheceu um modo mais aceitável de se lisonjear o Imperador do que interessar-se pelas plantas do Jardim Botânico.

56. O diretor do Jardim Botânico da Lagoa Rodrigo de Freitas era frei Leandro do Sacramento, nomeado por decreto de 10 de fevereiro de 1824, em atenção aos serviços ali prestados. *Diário do Governo*, de 21 do mesmo mês e ano. (E)
57. D. Rodrigo de Souza Coutinho, conde de Linhares. O chefe de divisão Luiz de Abreu, na Relação das Plantas exóticas e de especiarias cultivadas no Real Jardim da Lagoa Rodrigo de Freitas, publicada no *O Patriota*, nº3 (1813), ps 16-29, escreveu que "pedindo eu ao meu particular amigo Raphael Botado de Almeida, Senador de Macau, me remetesse as sementes dos arbustos do Chá, ele me mandou o ano passado hum grande numero delas..." O conselheiro Miguel de Arriaga Brum da Silveira foi quem mandou de Macau os chins para o serviço do Arsenal da Marinha do Rio de Janeiro, conforme consta do aviso de 15 de janeiro de 1815. — Nabuco, Legislação Brasileira, II, ps 149 — O aviso de 5 de novembro de 1823, com relação aos escravos empregados no Jardim Botânico, assim determina: "Constando S.M. o Imperador que os escravos que se acham empregados no serviço do Jardim Botânico da Alagoa de Freitas, pertencentes à Fábrica da Pólvora, não têm sido contempladas com o respectivo vestuário nas ocasiões em que os outros da dita Fábrica o têm recebido; e sendo outrossim de absoluta necessidade, que os 4 escravos, que desde o estabelecimento do referido jardim foram nele empregados, não sejam dali distraídos, pela aptidão com que já desempenham a preparação do chá. Ha S.M. o Imperador por bem que os mencionados escravos sejam supridos do vestuário necessário pelo Cofre da sobredita Fabrica, e que os 4 indicados, como mais hábeis, sejam efetivamente conservados nos trabalhos do jardim. O que manda pela Secretaria de Estado dos Negócios da Guerra, para que nesta conformidade se expeçam por aquela repartição as ordem necessária. — Palácio do Rio de Janeiro em 5 de novembro de 1823 — José Joaquim Carneiro de Campos". Diário do Governo, de 19 de novembro de 1823. O china Antônio José era um dos empregados na cultura e preparação do chá, no Jardim Botânico; por aviso de 21 de maio de 1824 teve seu salário aumentado de 640 para 800 réis diários, por proposta do diretor, frei Leandro do Sacramento. *Diário Fluminense*, de 26 mesmo mês e ano. — (E.)
58. Hoje, 1835, toda a esquadra brasileira é fornecida, para uso dos marinheiros, com chá crescido preparado no Brasil. — (A)

Além do Jardim ficam os paióis e a fábrica de pólvora e um importante quartel de artilharia. O cenário em que ambos estes estabelecimentos estão colocados é magnífico. Uma lagoa quase cercada de montanhas, parcialmente fechada por florestas virgens, que se abre em diferentes direções para o mar ou forma vales que conduzem a montanhas mais distantes, é tentadora para qualquer cavaleiro, mesmo pelos caminhos perigosos, pelos quais gostavam os Imperadores de voltar à casa.

Após o passeio, se o grupo tinha almoçado, o Imperador geralmente recebia seus ministros e recebia despachos até a hora do jantar, que era ao meio-dia.

A Imperatriz e Dona Maria jantavam separadamente, cada uma em seu apartamento, cerca de meia hora antes. A criança, após ser empanturrada com uma quantidade de comida altamente temperada, escolhida mais pela substância do que pela delicadeza, era geralmente levada para cama pelo menos por duas horas. O jantar da Imperatriz era-lhe servido, prato por prato, numa mesinha pequena, numa espécie de quarto de passagem, mobiliado todo em volta com malas fechadas que ela havia trazido de Viena. Estas malas continham vestidos que a sociedade do Brasil não exigia, livros que ela não tinha nem oportunidade nem espaço para arrumar com vantagem, e instrumentos para prosseguir no estudo de filosofia natural e experimental que ela muito apreciava, mas que ninguém na terra entendia senão ela. Logo depois de seu jantar passava ela ao apartamento do Imperador para estar presente durante o jantar dele. No mesmo momento eu costumava ser então servida. Dom Pedro havia dado ordens para que a minha mesa fosse servida como a sua, e da mesma cozinha. Posso, pois, com razão afirmar que se, como se disse, o apetite de Sua Majestade era grande, não era de certo delicado. O principal elemento era o toucinho da terra, uma coisa entre carne de porco e o porco salgado, sem nenhuma parte magra. Era geralmente servido com arroz, uma espécie de couve, batatas, inglesa ou doce, pepinos cozidos, e, às vezes, um pedaço de carne assada, cada coisa arranjada separadamente no mesmo prato. A sopa, em que tudo isto fora fervido, com a adição de alho, pimenta e verduras, era um prato permanente, tal como a carne assada, que é a parte interna de um filé, tão dura que poucas facas poderiam cortá-la. Isso, contou-me o Barbeiro, era especialmente feito para mim, por ser inglesa. Depois havia massas, feitas ora com miolos, ora com carne de porco, galinha ou fígado, cortada e temperada como para um *Haggis*[59]. As aves são sempre boas no Brasil. Quanto ao carneiro, tenho motivos para pensar que Sua Majestade raramente o comia. Pelo grande respeito que o Barbeiro e seus auxiliares manifestavam pela limpeza de minhas roupas de mesa, poderia supor que o seu Augusto Amo raramente gozava deste luxo.

Depois do jantar Sua Majestade Imperial regularmente retirava-se para descansar e era durante sua sesta que eu tinha usualmente o prazer de conversar com a Imperatriz. A princípio ela costumava mandar-me chamar ao seu apartamento, mas como lá não podíamos ficar sem acompanhantes, cujas narrativas da familiaridade com que ela me tratava excitavam violentos ciúmes entre as damas, ela preferiu, após três ou quatro dias, que eu ficasse depois do jantar em meu próprio quarto até que ela pudesse procurar-me. Naturalmente perguntei-lhe em qual de minhas salinhas deveria recebê-la. Ela preferiu a biblioteca e assim fiz com que Ana a preparasse da melhor maneira e colocasse somente uma cadeira nela. Ela veio ainda mais cedo do que eu esperava no primeiro dia de nossa nova combinação. Quando viu a única cadeira, perguntou apressadamente se eu não desejava que ela se sentasse em minha casa. Minha resposta foi, naturalmente, que ali estava sua cadeira, mas era do meu dever ficar de pé. Mas não houve meio de fazê-la sentar-se enquanto eu não tivesse obtido uma outra cadeira para mim. Narrei este traço de simplicidade, como um de cem que poderia citar desta espécie de afabilidade da mais amável das mulheres. Talvez, tendo em vista uma longa estadia no Paço, tivesse sido mais prudente que nossas horas de conversa tivessem sido menos frequentes e menos longas, mas mesmo que eu pudesse, não poderia ter agido de outra maneira. Teria que obedecer. Pode-se compreender, e não é extraordinário, que Maria Leopoldina, não tendo damas de sua nacionalidade em torno dela, nem mesmo a mulher de um Embaixador ou de um Encarregado de Negócios com quem falar, ocasionalmente, e sendo todas as suas servidoras portuguesas, que não falavam senão a própria língua, e cuja educação se resumia nas regras de etiqueta da corte, com a instrução suficiente para ler e escrever para conduzir uma intriga doméstica ou política, se tivesse aproveitado avidamente da possibilidade de conversar em linguagem mais familiar com uma pessoa que podia ao menos tratar de assuntos de interesse europeu; que

---

59. Prato escocês, muito complicado. (T)

havia visto seu pai e a maior parte de seus outros parentes depois que ela os havia deixado e que era familiar mesmo com os lugares que ela própria havia frequentado. Estas considerações, mesmo que houvessem ocorrido às nossas damas, não as teriam tornado um átomo mais caridosas. Elas haviam sempre lamentado a política que havia casado o jovem chefe da Casa de Bragança com uma estrangeira, em vez de uma tia ou uma prima, como havia sido o costume invariável nas casas reais de Espanha e Portugal. Começaram então a murmurar contra a introdução de uma segunda estrangeira, como me chamavam, no Paço, como se nenhuma dama portuguesa fosse competente para instruir as princesas. Os murmúrios em breve produziram seus efeitos.

Nossa conversinha sossegada durava até a Imperatriz ir-se preparar para o passeio da tarde com o Imperador, o que geralmente se dava uma hora depois de acordar ele da sesta. Era esta geralmente a melhor parte do dia para o Imperador, desde que o seu sono não houvesse sido perturbado. Era difícil que o seu gênio se contivesse se ele tivesse sido prematuramente despertado nessa altura do dia. Aí do infeliz que, compelido pela necessidade ou traído por um acidente, interrompesse seus sonos. Isto sabiam bem o Barbeiro e o resto do grupo e disso se aproveitaram oportunamente.

Os passeios a cavalo ou de carro pela tarde eram muito parecidos com os da manhã e frequentemente duravam até muito tarde, a menos que houvesse espetáculo de gala no teatro, caso em que os passeios se encurtavam, já que o Imperador fazia questão de assistir ao espetáculo e a Imperatriz não raramente o acompanhava. Em noites de aniversário, ou quando fosse preciso causar qualquer impressão particular sobre o público, a pobre Dona Maria era adornada com um diadema de diamantes, ficava acordada e acompanhava os pais à cidade, onde ficava à frente do camarote oficial. Havia ela sido ensinada a portar-se como uma rainhazinha, com uma graça e maneiras que me espantaram a primeira vez que as vi.

Estas visitas ocasionais ao teatro não interrompiam muito frequentemente nossas horas sossegadas do Paço, enquanto eu era sua habitante. Em geral, enquanto Suas Majestades passeavam, eu levava as crianças para o jardim com as amas e, com grande prazer delas, não somente permitia, mas animava-as a correr pela sombra, a atirar flores, observar os insetos sem gritar e, mesmo, a sujar suas roupas com a terra do jardim. A Imperatriz, querendo educá-las à moda europeia, havia encomendado pequenos jogos de ferramentas, mas estes haviam sido mantidos escrupulosamente em desuso, porque, como diziam as damas, não ficava bem as princesas estarem revolvendo a terra suja como negros, e as ferramentas eram consideradas uma pilhéria europeia da Imperatriz, que não sabia o que convinha nem ao clima do Brasil nem à dignidade dos Braganças.

A fim de que não perdesse tempo com a alimentação das Reais Crianças, a merenda era geralmente tomada no jardim e não obstante as duas pesadas refeições de carne e galinha com que haviam sido empanturradas ao almoço e ao jantar, cada criança poderia ser vista com uma perna de capão ou de peru na mão para comer, após o que recebiam um pedaço de bolo doce ou de fruta. Era uma felicidade para as crianças terem boas e fortes compleições, que aliás teriam sido prejudicadas pela superalimentação. Talvez se diga no futuro, e eu não me espantarei, que as infelizes doenças, tanto físicas como mentais, com que a miserável família Bragança foi perseguida, foram causadas pela alimentação.

Só depois das crianças terem voltado para casa e ceado (ceia muito semelhante ao jantar), seus pais voltavam do passeio. Então, cada dama que pudesse dar uma desculpa para livrar-se do passeio corria para cima pelas escadas particulares, a fim de participar do *Beija-mão* da tarde. As crianças tomavam a benção em primeiro lugar e as damas seguiam-se com mais ou menos fervor, na medida em que esperassem ou não alguns desses favores sem importância que o Barbeiro havia sido induzido a pedir durante o dia. Depois todo o mundo se retirava e nossa ala fechava-se por toda a noite.

A Imperatriz, regularmente, ceava e retirava-se para os seus apartamentos particulares durante todo o tempo que estive com ela. O Imperador ia para a sua ala do palácio, onde às vezes recebia algumas pessoas e, não muito raro, conferenciava com seus ministros sobre negócios públicos.

Não tenho certeza se no seu tempo havia muito jogo no Palácio, mas antes da volta da velha corte para a Europa, o jogo e toda espécie de vícios eram animados pela velha Rainha, pela sua filha mais idosa e pelo infante da Espanha, Dom Sebastião.

Tal era a vida ordinária no Paço e nossas variantes eram poucas. Uma vez ou outra o Padre Boiret costumava vir ao quarto da princesa sob o pretexto de dirigir seus estudos de francês, mas seus hábitos aborrecidos e familiares, induziram-me a obter da Imperatriz que suas visitas fossem restritas a dias e horas regulares. Uma vez ou duas o respeitável Frei Antônio de Arrábida, confessor ordinário do Imperador, procurou-me e conversamos sobre a espécie de educação que melhor conviria à provável situação da princesa mais velha, que ele encarava de fato, como todo o mundo, como possível herdeira do Brasil, supondo que qualquer filho do Imperador seria chamado ao trono português pela morte de Dom João VI.

Quanto à instrução religiosa da princesa, deu-me o livrinho de Belarmino[60] sobre a *Doutrina Cristã*, resumido, que ele queria fosse por ela aprendido como um catecismo e ficou encantado quando lhe mostrei uma edição italiana do mesmo, e também o trabalho completo, que eu havia comprado aos Padres do Oratório, a quem estavam entregues as escolas paroquiais em Roma. Disse-me também o confessor que seria de grande conveniência que eu, por algum tempo ao menos, acompanhasse a minha Pupila às orações de Domingo pela manhã no palácio, quando ela não fosse com seus pais à Igreja de Nossa Senhora da Glória, que eles geralmente frequentavam, pois, disse ele, a Dama que geralmente acompanhava a princesa nessas ocasiões permitia que ela corresse pela capela e interrompesse a cerimônia e que, na verdade, quando Suas Majestades não estavam presentes, a capela era pouco melhor que um lugar de conversa, para as damas pertencentes ao palácio e as mulheres dos oficiais aquartelados nas redondezas.

Uma tarde fiquei muito surpreendida com um pedido de uma dama da princesa, uma das que dormiam no quarto, no sentido de permitir que o Barbeiro e um ou dois outros amigos subissem pelas escadas particulares à antecâmara da princesa para poderem jogar cartas confortavelmente, quando ela já estivesse na cama. Disse-lhe que não poderia dar tal permissão, havendo prometido tanto ao Imperador quanto à Imperatriz solenemente que nunca permitiria nada que se parecesse com jogo à vista da princesa. Quando contei isto à Imperatriz na manhã seguinte, ela me elogiou e agradeceu, mas sacudiu a cabeça, dizendo que daí por diante deveria olhar toda a cambada como inveterada inimiga, e penso

---

60. Roberto Francisco Rômulo Belarmino (1542-1621). Nasceu em Montepulciano e faleceu em Roma. Pertenceu à Companhia de Jesus e ao Sacro Colégio, e foi um dos maiores humanistas e teólogos de seu tempo. O papa Urbano VIII declarou-o venerável em 1627, e várias vezes se tratou de sua beatificação, uma delas no pontificado de Bento XIV; mas o processo não teve seguimento, para não ferir suscetibilidades da corte da França, contra cujo regalismo defendeu o cardeal Belarmino o poder depositivo do papa. Deixou uma obra imensa, que teve edição completa em Colônia, em 1617, e, posteriormente, em Nápoles e Paris. A edição italiana resumida do *Compêndio*, a que o texto se refere, saiu em Mântua, em 1704, outra em 1722, e ainda outras em anos seguintes. Traduzido em português, existe o *Compêndio de Doutrina Cristã*, por João Vellez Barbudo, Lisboa, na Oficina de Joseph da Costa Coimbra, 1751, in-8, reeditado muitas vezes. (E.)

que assim foi, porque depois dessa vez, com uma ou duas exceções, não vi as damas senão raramente, e, quando as encontrava, elas se mostravam impertinentes, malcriadas e zombeteiras. Um pequeno incidente em breve revelou em plena luz a indisposição delas para comigo.

Era costume irem as Reais Crianças, acompanhadas de suas aias do dia, beijar a mão do Imperador após o seu regresso do passeio matinal. Com esta cerimônia eu nada tinha que ver, ficando assim no quarto da princesa, ou no meu, a menos que a Imperatriz me quisesse junto dela durante o seu almoço, durante a ausência de Dona Maria. Aconteceu que a menina foi gravemente mordida num pé por um mosquito, e tendo coçado a mordidela até se tornar uma ferida, o médico quis que ela ficasse de cama, que era grande e larga, e que de nenhum modo andasse. Logo que o Imperador soube disso adotou o costume de vir todas as manhãs ver sua filhinha. Fiquei surpreendida ao ver as Damas, Amas e toda a multidão em volta dele, tomarem-lhe as mãos e quase devorá-las de beijos. Não me pareceu que esta cerimônia correspondesse a qualquer parte do meu dever, e assim, contentei-me simplesmente em levantar-me e ficar de pé junto à cama da criança até que o próprio Imperador me notasse, o que ele fez em breve, de muito bom humor; logo que ele deixou o quarto, contudo, sussurros, suficientemente altos para que eu os pudesse ouvir, levantaram-se de todos os lados; pensava-se ser uma monstruosidade que uma estrangeira — herege — danada — era tudo quanto elas sabiam — não demonstrasse o respeito devido à Casa de Bragança e não beijasse aquela querida mão quando havia uma oportunidade. Realmente, tanta coisa se disse sobre o assunto que achei bom consultar a Imperatriz sobre o que devia fazer. — Oh!", disse Ela, "é bom viver em Roma como os romanos." Em consequência, quando o meu Imperial Amo apareceu na manhã seguinte, fiz-me o mais grave que foi possível e avancei para tomar uma das maiores mãos que vi na minha vida com a intenção de beijá-la. Ele, contudo, arrebentou de rir, e sacudiu-me cordialmente a mão dizendo: — "Esta é que é a maneira inglesa de dizer bom dia". Conduziu-me para o lado da cama de Dona Maria e começou a examinar os livros que havíamos percorrido entre estudo e brincadeira, e encontrando sobre a mesa o "*Little Charles*" de Mrs. Barbauld traduzido em português leu alto alguns dos maiores períodos e depois perguntou-me se Ele não era um "bom menino" e se lia tão bem quanto Dona Maria. Este bom humor do Imperador foi-me sem dúvida muito prejudicial. Foi narrado ao Barbeiro e ao Padre francês e foram tomadas providências, cujos detalhes me foram sempre desconhecidos, para evitar qualquer interferência de minha parte no prestígio de que eles dispunham sobre Sua Majestade Imperial.

Melhorando o pé da Princesa, fomos mandadas, algumas vezes, passear de carro, em vez de a pé, pela tarde. A criança gostava principalmente de sentar-se sobre o meu joelho, mas, como todas as crianças espertas, subia algumas vezes ora de um lado do carro ora do outro. Isto, soube mais tarde, foi reparado e guardado para ser utilizado. Parece que havia uma maneira certa e uma maneira errada mesmo de sentar-se em um carro de um só assento, e, — é terrível dizer, — eu tinha sido vista no lugar em que a Princesa de Bragança deveria estar, enquanto ela tinha sido vista no meu lugar, divertindo-se em arrancar grampos do meu chapéu. Contudo, foi tudo se passando calmamente, até que se aproximou o aniversário do Imperador. Percebi então que havia grande emoção nos próprios alicerces de S. Cristóvão. Soube depois que devido à idade tenra de Dona Maria, suas *amas-governantes* costumavam sempre comparecer à corte nesse dia, em traje de corte, de cetim branco bordado, com uma cauda de cetim verde bordada a ouro, com plumas verdes e brancas, e ficavam junto ao trono a postos para quando a criança, que ficava entre seus pais nessas ocasiões, precisasse do lenço ou demonstrasse qualquer sinal de fraqueza. As duas *aias-governantes* procuravam evitar que este honroso pequeno serviço fosse por mim reclamado, nem supondo que eu havia estipulado que me seriam livres os dias de gala, a fim de podê-los passar como preferisse, com meus amigos ingleses, franceses, russos e americanos. E o Imperador, não somente concordou, como me prometeu ceder um dos carros do palácio para conduzir-me nestas ocasiões. De acordo com o que pensavam, pois, nada deixaram de fazer para descobrir se eu havia encomendado um vestido de corte e a quem havia encomendado. Uma delas abordou-me, perguntando-me se queria experimentar o seu vestido e afirmou que iria muito bem em meu corpo. Respondi que não pretendia ter uniforme, porque não sendo *Criada do Paço*, se quisesse ir ao *Beija-mão*, iria de certo com meu vestido à moda inglesa.

O modo de protestar não ser um criado doméstico[61] pôs todos os seguidores dos Braganças em ebulição e na manhã seguinte iniciaram o

---

61. A designação — criados domésticos da Casa Imperial — abrangia todos os cargos palacianos, mesmo os mais honrosos. Em 1859, dirigindo-se ao seu mordomo Paulo Barbosa (que era brigadeiro do Exército, antigo deputado e ministro plenipotenciário), Pedro II, sem nenhum intuito ofensivo, antes com intenção de elogiá-lo, ainda o chama "criado fiel". (T.)

que pretendiam ser uma severa punição à insolência de uma estrangeira que ousava rejeitar a servidão, mesmo no Palácio Imperial. Quando desci, como de costume, na hora do jantar da princesa, fiquei espantada pelo fato da criança não se mostrar alegre de me ver; como sempre, em vez da gentileza com que suas damas haviam até então me recebido, mostraram-se carrancudas e descontentes. Logo após a refeição, todo o mundo desapareceu, até mesmo a velha que geralmente limpava os quartos, deixando-me completamente só com Dona Maria. Daí a pouco quis ela um lenço, mas não havia ninguém às ordens para chamar uma criada ao quarto ou para trazer o que ela queria. Não ousei deixá-la por um momento enquanto iria em pessoa, porque ela tinha o hábito de se debruçar às janelas e as de seu quarto ficavam, ao menos, a sessenta pés do chão e não tinha meios de fechá-las. Não podia levá-la comigo para fora de seu apartamento. Indo ao quarto da Imperatriz soube que ela e o Imperador haviam deixado o palácio antes da madrugada e que não era certo nem mesmo voltarem nesse dia. Por fim, um dos oficiais da guarda passou pela ante-sala e a própria princesa deu-lhe ordens, no sentido de chamar uma de suas criadas, de tal maneira que ele não ousou desobedecer. Quando esta chegou perguntei como se explicava aquela desobediência às ordens do Imperador, que nem ela nem as outras criadas da Princesa estivessem a postos. Respondeu que as ordens imperiais exigiam apenas uma criada de cada vez; ao observar eu que não havia vindo uma só nesse dia, olhou-me de face, cuspiu no chão e disse-me que estava olhando para a "mais indigna de suas criadas". Disse-lhe que fosse como fosse, ela devia ficar onde estava até chegar a Imperatriz. Então ela bateu no chão e ora resmungando, ora cantando, fez um tal barulho, que a lição foi quase inutilizada. Quando chegou o jantar da princesa, não apareceu ninguém para pôr a mesa, lavar lhe as mãos ou trazer-lhe o bife, até que, depois de repetidos recados, consegui uma preta para pôr a mesa; depois, não havia nem faca, nem garfo, nem colher. A criança tinha fome, o jantar cheirava saborosamente, e ela começou a chorar afinal, depois de esperar meia hora. Resolvi ir ver se encontraria, ao menos, alguns dos servidores do Imperador jantando e pedir a assistência deles. Mas apenas estava em meio de meu caminho vi, por uma porta aberta, a sala de jantar das princesinhas mais moças. Lá estavam as meninazinhas, cada uma em sua mesa separada, suas amas dando-lhes de comer, e a um canto, todas as criadas do serviço de Dona Maria, juntamente com várias da Imperatriz, a velha ama do Imperador, e, ainda que de início não o tivesse visto, o Barbeiro, detestado pela minha Pupila, pulando para dentro da caixa do relógio. Nunca vi ninguém mais espantado. A rebelde, que deveria estar à espera, foi salva da hesitação em obedecer a minha ordem de ir para seu lugar pela súbita notícia de que o Imperador e a Imperatriz haviam sido forçados pelo tempo a voltar para casa. Não preciso dizer quão depressa foi servida a mesa da Princesa, nem quão rapidamente foi posta na cama para sua sesta. Pela minha parte estava tão aborrecida com a tolice que não tive ânimo para comer o meu jantar que foi mal servido e estava frio. Tinha passado as iguarias imperiais à preta Ana e estava sentada em frente a uma rosca e um copo de vinho, meditando numa carta à Imperatriz, pedindo-lhe que me fosse dado o prometido auxílio do Padre...[62], e algumas regras escritas para as criadas da princesa, a fim de evitar a renovação da loucura daquele dia, quando, de repente, ouvi na minha escada o ruído das botazinhas de montaria da Imperatriz, subindo com violenta pressa. Seus olhos estavam vermelhos de chorar e após me ter beijado, com muito afeto, e de me ter chamado "caríssima amiga", pôs-me na mão um papel escrito pelo próprio Imperador — a tinta ainda estava úmida — ordenando-me que me confinasse no meu próprio apartamento, a não ser quando fosse chamada a dar a lição de inglês à princesa, ou a passear com as irmãs pelo jardim. Era demais. Meu ânimo esgotado pelas desagradáveis ocorrências do dia, foi completamente ultrapassado; sentei-me e chorei tão sinceramente quanto a Imperatriz, que me disse estar certa de minha inocência, que não tinha nenhuma dúvida de que eu poderia me explicar e uma série de outras coisas, que me provaram que o conciliábulo pilhado por mim no apartamento das princesinhas havia inventado alguma história destinada a irritar o Imperador. Perguntei-lhe o que poderia e o que deveria fazer, que passo ela aconselharia, como amiga, que eu devesse dar. Disse-lhe perceber que me era impossível exercer a função que pretendera, a menos que algumas medidas decisivas se tomassem para me dar o apoio e segurança que a grande importância de minha posição como governante de sua filha exigia, e que, se não fosse a minha amizade por Sua Majestade, nada me tentaria a permanecer onde o meu caráter era tão pouco compreendido e meus serviços tão mal apreciados;

---

62. Em branco, no original. Deve ser frei Antônio de Arrábida, depois bispo de Anemúria. — (T.)

que ela deveria estar tão sentida quanto eu poderia estar; que exceto as horas agradáveis que ela me permitia passar em sua companhia, minha vida havia sido a de um prisioneiro de estado e ainda submetida a todas as espécies de impertinências e insolências por parte de pessoas da mais baixa extração, pois como tal certamente considerava o barbeiro Plácido e as criadas do Paço. Respondeu-me muito delicada e gentilmente. Disse-me que, como amiga, punha todos os seus desejos fora de cogitação; que enquanto ela havia tido a esperança de que o Frei Antônio de Arrábida tivesse permissão para superintender nossas aulas e me dar seu forte prestígio, ela me havia encorajado em todos os nossos pequenos contatos. Mas que estava agora convencida de que não lhe permitiram fazer tal coisa, e que inimigos dela, tanto quanto os meus, estavam utilizando alguma influência secreta, mas muito poderosa; que o seu apoio não me proporcionara nenhum bem, antes pelo contrário, tornara minha situação ainda mais aborrecida do que poderia prever; que, para a causa de nós ambas, temia que a melhor coisa a fazer fosse eu deixar o Palácio. Ela não pretendeu queixar-se; amava seu marido e seus filhos e esperava ter forças para nunca se queixar do que fosse seu dever suportar; que era sua sina estar separada de todos de quem mais gostava e, afastando-se de mim, que ela considerava como a amiga que deveria guardar suas filhas dos malefícios da ignorância e da grosseria de todos em volta delas, só se preocupava em saber se não seria a última separação.

Foi então combinado que eu deveria escrever ao Imperador e pedir a minha demissão. Deixou-me ela então, prometendo voltar dentro de uma hora para levar minha carta.

Não perdi tempo e comecei a escrever. Antes que ela voltasse, estavam espalhadas sobre minha mesa meia dúzia de cartas. Nenhuma elas, temo eu, deixando transparecer um espírito muito amável. Leu-as todas alto a Imperatriz, e após termos debatido em conjunto, escolhemos a seguinte:

"Senhor,
É com sentimentos indizíveis que recebi a ordem de hoje, assinada por Vossa Majestade Imperial.

Não deveria nunca ter deixado a Inglaterra, nem uma família honrada naquele distinto país, para ser uma simples professora de Inglês! Se não sou a Governante das Imperiais Princesas, nada tenho que fazer neste país. A pessoa honrada com o título e o emprego de governante em tal família, deveria ter sido garantida contra as impertinências que encontrei desde que estou aqui. Nunca me submeterei a elas. Quanto a mim, não tenho amor próprio, mas quanto às minhas alunas, havia uma necessidade absoluta de não ser eu tratada como uma criada. Peço com empenho que Vossa Majestade me conceda licença para retirar-me. Deixarei o Brasil para sempre pelo primeiro navio que partir.

Lamentando minhas pupilas, lamento também que não tenha podido preencher os desejos manifestados por Vossa Majestade e a Imperatriz, quando VV.MM. me convidaram aqui como governante.

Quanto a estas Damas, que inventaram tantas falsidades a meu respeito, eu as perdoo e espero que Vossa Majestade nunca encontre razão por ter ouvido demasiado vivamente as suas queixas."

Isto era o corpo da carta que terminava com desejos de prosperidade para sua família e para o Brasil.

Fechei esta carta na presença da Imperatriz. Ela imediatamente levou-a ao Imperador e logo voltou com uma permissão, não desgraciosa, de retirar-me quando eu quisesse. A tinta ainda não estava seca quando ela a trouxe. Disse ela que havia tido ordens de levar de volta a despedida e também todas as cartas anteriores, não só de nomeação para o meu cargo, como de promessa de salário, sem mais demora. Se eu tivesse tido um momento de reflexão, não me teria desfeito destes documentos. Mas o que poderia fazer? A Imperatriz, que eu realmente estimava, estava em lágrimas, e eu compreendi claramente que ela teria que temer alguma impolidez se não levasse de volta tudo que havia sido pedido. Dei-lhe assim tudo, e afinal, creio que fiz bem.

Ela voltou ao meu quarto quase imediatamente, e ficou até que o Imperador a chamou para passear, quase uma hora mais tarde que de costume. Comecei a arrumar minhas coisas, já que devia partir na manhã seguinte. A Imperatriz disse, ao deixar-me, que voltaria para ajudar-me arrumar, o que quase me fez rir no meio de minha desgraça. Pediu-me também que lhe deixasse alguns livros elementares para suas filhas e disse-me que gostaria de comprar os meus globos. Quando a Imperatriz me deixou come-cei a ponderar sobre o modo de deixar o palácio. Não tinha criado para mandar recado aos meus amigos no Rio, a fim de que me arranjassem uma carruagem ou uma carroça pra minhas coisas, e convenci-me de que Plácido, o barbeiro, poria todos os obstáculos no caminho de minha saída confortável, e assim se deu. Muito antes que eu esperasse, voltou a Imperatriz. Não tinha, creio, saído, mas trabalhando por mim, perguntando em que carro eu devia me retirar, viera a saber que Plácido havia destinado cada um a uma coisa, de modo que se tornava impossível utilizar-me de qualquer deles, e que ele próprio e a sua súcia haviam se divertido na antecâmara com a ideia de me ver saindo a pé para o Rio, com a preta Ana carregando uma trouxa, no meio de uma terrível chuva, que eles previam pelas nuvens que estavam de novo se aproximando. A Imperatriz ouviu o bastante para compreender o plano e então disse que encomendaria seu próprio carro. Plácido disse que não havia cavalos, o que a exasperou de tal maneira que levantou a voz e disse-lhe que usasse os seus próprios cavalos de montaria. Isto chegou aos ouvidos do Imperador, que estava então, em parte, arrependido da decisão apaixonada que a cabala havia obtido para realizar seus objetivos. Saiu de seu quarto furioso. Contou-lhe a Imperatriz todo o plano de Plácido e sua conduta quanto à minha saída. A raiva do Imperador tomou então uma outra feição. Ordenou a Plácido que fosse imediatamente cancelar a licença que havia dado a uma das mulheres, de se utilizar do carro de Dona Maria da Glória e que o pusesse à minha disposição por uma semana, se eu quisesse, e após ter feito isso, ele próprio queria ir me perguntar que barco ou carroça preferia para levar minha bagagem para a cidade e ainda levar o carpinteiro do Paço com ele para dirigir a embalagem ou ser responsável por ela.

Disse então à Imperatriz que era muito tarde para passear e ela nisso viu uma tácita licença para voltar ao meu quarto, o que fez logo. Imperatriz do Brasil e Arquiduquesa d'Áustria, nada pôde impedi-la de usar suas pequenas e brancas mãos para embrulhar livros e roupas, ocupando-se de tudo que podia. Mandou uma criada sua, com cartas, a dois ingleses amigos meus, pedindo que qualquer deles me arranjasse um quarto às 12 horas do dia seguinte.

Contarei agora como Dom Pedro foi levado ao acesso de raiva que foi a causa imediata de minha saída do Palácio, tal como ouvi, algumas semanas depois, por pessoa que sabia de quase todos os acontecimentos passados dentro das paredes do Palácio e que pagava bom dinheiro para ser informada.

Dona Maria Cabral era a mulher mais bem-nascida de todas as damas de Dona Maria da Glória e foi escolhida como instrumento para me atacar. Era desagradavelmente feia, de pele gordurosa e suada — muito marcada de bexigas — grande boca, de lábios finos, nariz chato, olhos pequenos, pretos e vivos, cabelos longos e pretos penteados para o alto. Sua inteligência era mais estreita do que a de qualquer criatura que conheci e sua ignorância proporcional à inteligência. Contudo, esta mulher dispunha de uma grande influência sobre o Imperador. Era uma perfeita aduladora. Aproveitando-se das fraquezas do temperamento do Imperador, irrompeu pelo seu quarto meia hora antes do costume de seu acordar da sesta. Com os cabelos descompostos, a face banhada em lágrimas, e soluçando violentamente, clamou por ele para que dissesse se era justo e direito que aqueles que haviam deixado suas famílias e felizes lares em Portugal para acompanhar a família Bragança através do terrível oceano, para viver numa terra que não prestava senão para macacos e negros, pudessem ser tratados como criados, enquanto estrangeiros, que não tinham ligação com a família real e cuja capacidade para falar diversas línguas poderia facilitar-lhes a cabala contra os interesses de Sua Majestade, já que nenhum dos fiéis aderentes podia saber o que diziam, pudessem ser tratados como grandes personagens e ter permissão para dar ordens aos velhos aderentes do Família! O Imperador saltou de seu leito num paroxismo de aborrecimento e quis saber imediatamente por que motivo havia ela ousado perturbá-lo. A resposta foi que ela e todas as antigas damas, inclusive sua velha ama, haviam decidido deixar o Paço imediatamente e voltar a Lisboa, desde que percebiam que só os estrangeiros podiam ser tolerados no Paço da Boa Vista. Sua Majestade perguntou a razão dessa estranha resolução. Respondeu que não podiam nem queriam admitir que qualquer pessoa pudesse insultar a Casa de Bragança! Que a governante inglesa havia tomado a si tiranizar a herdeira dessa nobre Casa, pois havia até se sentado no lugar de honra numa das carruagens imperiais e os preceitos que ela inculcava à princesa eram destinados a fazê-la esquecer a diferença entre seu sangue real e o mais desprezível dos súditos. O Imperador, não tendo tido tempo de cair em si, exclamou logo: "Que ela saia do Paço, imediatamente! Não quero minha família abalada, nem meus velhos aderentes afrontados, nem os herdeiros de minha casa insultados! ".

Disse então Dona Maria que um recado verbal não teria nenhum efeito sobre minha vaidade, mesmo que fosse transmitido por Plácido! O Imperador pediu então pena, tinta e papel e, enquanto escrevia o recado que acima mencionei, mandou um criado chamar a Imperatriz, a fim de que ela própria o entregasse à sua favorita.

Tal é a história, tal como a ouvi da Viscondessa de R...[63] e não tenho dúvida de que seja a verdadeira na maior parte, pois é característica da maneira de conduta no Palácio, e particularmente, do temperamento de Dom Pedro, sujeito a explosões repentinas de paixão violenta, logo sucedidas por uma generosa e franca delicadeza, pronta a fazer mais do que o necessário para desfazer o mal que pudesse ser feito, ou a dor que pudesse ter causado nos momentos de raiva. Disso tive provas, mais de uma vez, antes de deixar esse país. Como saí do Palácio e o que aconteceu a mim depois que o deixei, é de pouca importância, exceto algumas passagens que poderão lançar alguma luz sobre o temperamento e a disposição do Imperador e da Imperatriz.

Nesta mesma noite, ela me procurou e pediu-me que não comesse coisa alguma que me fosse mandada pelas vias do costume para minha ceia, porque, ainda que esperasse não existir, havia muito, no Palácio, pessoas tão malvadas, era certo que ela havia perdido o seu secretário alemão, no qual tinha muito grande confiança, por envenenamento. Prometi então não comer senão uns biscoitos que um dos meus amigos ingleses me havia enviado alguns dias antes. Pouco depois, porém, mandou-me um recado dizendo que tinha feito algumas adições à ceia de Dona Mariana[64], de que eu poderia compartilhar e, de algum modo, compensar a falta do jantar. Como delicadeza, ajuntou a promessa de me ver de manhã, antes que eu deixasse São Cristóvão.

Na manhã seguinte, correu ao meu quarto por alguns minutos antes do seu passeio e foram muitas as lágrimas derramadas — dos dois lados. Ficou combinado que eu recorreria a ela, se quaisquer dificuldades ocorressem a mim depois que a deixasse. Disse-me ela que me lembrasse de que podia confiar na justiça do Imperador e na sua proteção, enquanto permanecesse em seus domínios. Atribuí isto inteiramente à sua bondade e fui bastante injusta para prometer-me, secretamente, nunca experimentar a justiça de Sua Majestade ou procurar sua proteção.

---

63. Deve ser a Viscondessa do Rio-Seco. (T)
64. Uma das damas do Guarda-Roupa. (A) D. Mariana Laurentina da Silva e Sousa Gordilho, marquesa de Jacarepaguá, filha de João Francisco da Silva e Sousa, senhor da quinta de Mata da Paciência, no Rio de Janeiro, e de sua mulher D. Mariana Eugênia Carneiro da Costa, que era filha de Braz Carneiro Leão e de sua mulher, baronesa de São Salvador de Campos dos Goitacazes. A marquesa era brasileira, nascida no Rio de Janeiro, em 1796. (E.)

Antes que o grupo Imperial tivesse voltado de seu passeio matutino, já estava eu a meio caminho da cidade. Tendo visto minha bagagem a salvamento longe da enseada da Boa Vista, pensava que chegaria com segurança aos meus velhos aposentos da Rua dos Pescadores.

Antes de partir, tinha feito um pequeno pacote de livros para a Imperatriz e havia-lhe escrito uma carta de despedida, de que recebi a seguinte resposta, antes de estar uma hora em minha residência:

"Minha querida amiga!
Recebi vossa amável carta e crede que fiz um enorme sacrifício separando-me de vós. Mas meu destino foi sempre ser obrigada a me afastar das pessoas mais caras ao meu coração e que estimei. Mas ficai persuadida de que nem a terrível distância que em pouco vai nos separar, nem outras circunstâncias que prevejo ter de vencer, poderão enfraquecer a viva amizade e verdadeira estima que vos dedico e que procurarei sempre, com todo o empenho, as ocasiões de vê-lo provar. Ouso ainda renovar-vos meus oferecimentos[65], se é que vos posso ser útil. Aceitando-os, vireis ao encontro dos meus desejos e contribuireis a me fazer feliz.

Assegurando-vos toda a minha estima e amizade sou
vossa afeiçoada

MARIA LEOPOLDINA."

S. Cristóvão, 10 de outubro de 1824.

P.S. — Neste momento entregam-me os livros que me serão de grande utilidade para minha bem amada Maria. Tereis a bondade, em Londres, de me obter os gêneros e espécies que faltam no catálogo de conchas que vos envio, comunicando-me os exemplares de história natural do Brasil que quiserem, para permuta."

---

65. A Imperatriz, sabendo que Plácido, ainda que recebesse de seu amo a quantia que me era devida pela minha estadia no Paço, nunca me havia dado o montante, e que nem os livros que eu trouxera, nem qualquer outra despesa, me haviam sido pagos; ainda que lhe fizesse muita falta, ofereceu-me dinheiro, que eu recusei aceitar. — (A.)

*. Maria Graham tentou então partir imediatamente para a Inglaterra. É o que se verifica com a troca de cartas com Capitão Mends — (v. p. 35)

O mensageiro da Imperatriz estava ainda esperando pela resposta, quando um tal Antônio, da casa em que eu estava hospedada, irrompeu pelo quarto para dizer-me que todos os meus bens e móveis, salvo a cama, haviam sido apreendidos na alfândega[66]. Acrescentei, então, um *post-scriptum* à minha carta já escrita e disse-lhe o que havia acontecido, pedindo, ao mesmo tempo, sua interferência. Achei conveniente narrar o caso ao cônsul britânico e recebi dele uma resposta fria e não demasiado polida*. Mas, na manhã seguinte, recebi o seguinte bilhete da Imperatriz:

"Minha caríssima amiga.

Fiz saber ao Juiz da Alfândega que vos remetesse vossas malas e que ele havia obrado muito mal e contra todas as leis que garantem a propriedade particular de ser apreendida.

Assegurando-vos toda a minha amizade e estima

MARIA LEOPOLDINA.

São Cristóvão, 11 de outubro de 1824

P.S. — Se quiserdes, incumbirei meu secretário, Sr. Flack, que mora à rua da Misericórdia, de vos remeter no momento as vossas coisas".**

Juntarei ainda mais uma carta desta amável mulher, escrita somente três dias após minha partida, para mostrar que sua gentileza não se confundia com as damas do paço. A amizade que me foi demonstrada por ela justifica-se plenamente por não ter jamais respondido a qualquer pergunta relativamente ao que se tinha passado no palácio, nem (conhecendo o estado do correio do Rio) ter escrito uma única linha sobre minha saída do serviço imperial. Deixei que o tempo me justificasse e conhecendo eu própria a verdade, podia e ousava rir diante das razões absurdas com que todo o mundo se aprestava a explicar a minha súbita mudança de residência. Mas, voltando à carta da Imperatriz:

---

66. Parece que Plácido mandou uma mensagem secreta a algum dos subalternos para me pregar esta peça! Talvez esperando que eu não me queixasse e que eles pudessem assim repartir a presa. — (A.)
*. O cônsul fez um protesto que consta do Ar, Diplo. Indep. — vol. II.
**. As notas a esta carta estão à p. 36.

"14 de outubro de 1824

Minha queridíssima amiga!
Apresso-me em informar-me de vossa saúde e ao mesmo tempo em vos dizer como estou satisfeita por vos ter sido útil o meu secretário. Eis que não se passa um momento sem que eu lamente vivamente ter-me privado de vossa companhia e amável conversação. Meu único recreio e verdadeiro consolo nas horas de melancolia à qual, infelizmente, tenho motivos demais para estar sujeita.
Assegurando-vos toda a minha amizade e estima,
sou vossa afeiçoada

MARIA LEOPOLDINA."

Creio que uma das causas da inveja sentida, e que atuou contra mim, foi a *honra* de me fantasiarem como uma intrigante política, e isso não só os portugueses, como meus próprios compatriotas. Mas, em primeiro lugar, não tenho talento para tal mister e, depois, abomino este papel, tanto no homem como na mulher, mas principalmente nesta última.

Tudo o que ouvi sobre política da terra de Dom Pedro, durante minha curta residência no Paço, o soube pelo próprio Imperador, que às vezes oralmente, e às vezes emprestando-me jornais, me informava dos sucessos da esquadra no Norte e do progresso da Assembleia Legislativa nos bem-intencionados, mas nem sempre bem conduzidos, panos de melhoramentos do país.

Não muitos dias depois que deixei o Palácio o Almirante francês Grivel[67] fez-me uma visita em minha quente e bulhenta residência na Rua dos Pescadores e propôs-me gentilmente fazermos um passeio, já que havia tanto tempo que eu não fazia nenhum exercício racional. Em consequência, concordamos em que ele, um outro cavalheiro francês, meu senhorio, e eu, fizéssemos uma excursão nessa mesma tarde, certamente sem desejar passar perto de nenhum passeio em que houvesse qualquer possibilidade

---

67. Jean Baptiste Grivel (1778-1869). Almirante francês. Era comandante da Estação Naval no Brasil. Foi promovido a contra-almirante em 1825, quando estava no Rio de Janeiro. Feito Barão em 1846 e Senador em 1858. Deixou um livro sobre sua profissão e tiveram publicação póstuma suas *Memoires: Revolution, Empire.* — Paris. Plon-Nourrit & Cie. 1914. in-8. — (E.)

de encontrar a comitiva imperial. Contudo, não havíamos ainda caminhado duas milhas do Rio, quando numa encruzilhada, toda a cavalgada imperial surgiu ao nosso encontro por detrás de um barranco abrupto. De acordo com a etiqueta costumeira, paramos nossos cavalos e pusemo-nos na beira da estrada. Os homens desmontaram e descobriram-se, enquanto o grupo passava por nós. Mas tudo não se passou tão rápido como esperávamos, pois o Imperador gritou para a Imperatriz, que ia um pouco adiante, que a mulher a cavalo era *Madame* (como ele geralmente me chamava), e dirigindo-se a mim depressa, cortesmente desmontou-se, estendeu-me a mão e ficou descoberto, conversando comigo durante vários minutos. Esta gentileza, estou certa, que me dispensou, na presença do numerosíssimo séquito que trazia nesse dia, teve o propósito de me dar importância de contraditar algumas das muitas e absurdas narrativas relativas à causa de minha saída do Palácio. Teve este efeito sobre o Almirante Grivel, que exclamou: "Digam o que quiserem, mas não houve nisso briga pessoal". Registrei esta anedota pessoal, não tanto por minha causa, quanto por causa de Dom Pedro, cujos sentimentos retos e generosos ela demonstra com vantagem. Exasperado como ele tinha sido, e julgando-se com razão, e asperamente como me tinha tratado, nos primeiros momentos de raiva, se fosse um homem de ideias mais estreitas, teria conservado alguns sinais de ressentimento. Mas agora ele me considerava uma estrangeira na sua terra, que poderia precisar dele e não poderia desonrar sua atitude de protetor.

Teria sido bem melhor para ele e para o Brasil que ele não tivesse tido maus conselheiros nem aduladores profissionais que, valendo-se de suas paixões, esperavam governá-lo, senão ao próprio Estado.

Antes de mudar-me da Rua dos Pescadores para o vale das Laranjeiras[68], tive uma oportunidade de julgar da qualidade das pessoas que imaginavam agradar, mas antes aborreciam Dom Pedro e esta oportunidade me foi singularmente oferecida, porque se pensava que eu tencionava voltar para o Serviço Imperial, ou, ao menos, permanecer no Rio para qualquer finalidade particular.

Uma tarde, recebi um cartão muito elegante, como o nome de Adèle de Bonpland, escrito em bela letra francesa, intimando-me a recebê-la ali

---

68. A excelente Mme. Lisboa e seu digno marido (pais do Cavaleiro Lisboa, Miguel Maria Lisboa, agora, em 1835, encarregado de Negócios em Londres), emprestaram-me uma casa de campo na sua bela chácara, à entrada do vale, durante todo o tempo de minha estadia no Brasil. — (A.)

mesmo ou a procurá-la, como me fosse mais cômodo. Como meus quartos estivessem então na desordem mudanças, preferi expulsá-la, e em consequência pedi a meu bom amigo Dr. D... que me acompanhasse à sua casa. Aí encontrei uma bela francesinha que poderia passar por espanhola, tão delicadas eram suas mãos, tão longos e brilhantes os seus cabelos. Chamaria sua conversa de agradabilíssima, se ela não parecesse muito desejosa de impressionar-me com o vasto plano de sua habilidade em manejar negócios, tanto públicos como privados. Disse-me que quando os Srs. Bonpland e Humboldt haviam vindo pela primeira vez à América do Sul, ela tinha permanecido algum tempo em Londres, onde se havia tornado íntima de todos os grandes políticos liberais, que ela imaginara obter um tal ascendente sobre eles que poderia representar o papel do homem que move os fantoches num espetáculo de cordéis, e falou de H.* como o principal de seus triunfos!!!

Minhas observações frias sobre tudo que ela dizia de enxurrada desconcertaram-na; mas para usar a expressão dos marinheiros, "tentou nova quilha" e disse que queria apresentar-se a mim em nome de Lord Cochrane, cujas generosas delicadezas para com ela, a haviam ligado a ele para sempre, e também em nome dos dois capitães Spencer, que ela havia conhecido em Buenos Aires e cujas amáveis atenções para com ela, em sua triste situação,[69] a haviam animado quando mais nada o poderia fazer. Estas atenções ela aprazia-se em considerar aprovações à sua *política*!

Em seguida gabou-se de ter salvo a vida de Lord Cochrane, pois por meio de sua influência pessoal sobre um dos Ministros e o namoro que ela consentia que a sua filha mantivesse com o chefe de secretaria de outro ministério para esse fim, ela havia descoberto uma atroz conspiração contra sua pessoa, de que Dom Pedro estava avisado, estando

---

*. Deve ser Holland's House — V. nota 1ª — (T.)

69. Quando Bonpland se instalou, ostensivamente, para estudar a Botânica do país, entrou também em uma especulação para exploração do mate nas margens do Rio da Plata, dentro dos limites de Buenos Aires. Para esse fim, havia formado uma colônia com várias famílias indígenas, práticas na colheita e preparo das folhas, e teve algumas boas possibilidades de sucesso. Em uma bela manhã, contudo, o Dr. Francia, autocrata do Paraguai, não aprovando um empreendimento que poderia interferir com o seu cômodo empório, enviou alguns barcos pelo rio Paraguai abaixo, e antes que o pobre Bonpland tivesse almoçado, saquearam-no, cortaram seus pés de mate, conduziram os índios para as selvas, queimaram as barracas, escapando Mme. Bonpland e sua filha, porque estavam então em Buenos Aires, sem poderem viver fora da sociedade, na empresa de seu marido. Vieram então para o Rio, ostensivamente com o fim de entender-se com Dom Pedro, pessoalmente, ou por escrito. Entretanto, algumas pessoas de Buenos Aires disseram-me que o governo daquela república entendeu que essa senhora era demasiado ativa para aquela cidade, e a havia, delicadamente, convidado a residir em outro lugar. — (A.)

desejoso de se libertar, de qualquer maneira, da necessidade de lhe pagar a quantia prometida quando assumiu o comando ou o prêmio monetário ao qual ele tinha uma conhecida pretensão; que a maneira mais pronta de se ver livre deste embaraço era o assassinato[70] e se isto falhasse,

---

70. O assassinato não é o crime do brasileiro, nem a vindita pessoal foi jamais permitida e muito menos animada por Dom Pedro.
Ainda que essa mulher houvesse persuadido Lorde Cochrane a acreditá-la, estou convencida de que tal conspiração jamais existiu. (A) O caso foi o seguinte: relatado pelo próprio Lorde Cochrane, na "*Narrativa de Serviços ao libertar-se o Brasil da Dominação Portuguesa prestados pelo Almirante Conde de Dundonald*", ps 146/149, Londres, 1859:
"Um caso de vexação dirigida ainda contra mim, no dia 4 de junho, vale talvez a pena de referir-se. Tinha sido falsamente dito ao Imperador pelos seus ministros, que, além dos 40,000 duros que eu recusei de entregar, havia escondido larga soma de dinheiro a bordo do *Pedro Primeiro*, e sugeriu-se a Sua Majestade que, visto estar eu vivendo em terra, seria fácil dar busca ao navio na minha ausência, por cujo meio pudesse o Imperador apossar-se do dinheiro encontrado. Este desonroso insulto estava a ponto de ser posto em execução, quando um acidente me revelou a trama, cujo objetivo era deprimir-me na estimação pública, pela acusação que implicava maquinação vil, que, desprezível como era, apenas podia deixar de prejudicar-me a mim, contra quem se dirigia.
"Um serão já tarde recebi uma visita de Madame Bonpland, a talentosa mulher do distinto naturalista francês. Esta senhora, que tinha singulares oportunidades para vir a saber segredos de estado, veio de propósito dar-me parte de que a minha casa estava naquele momento cercada por uma guarda de soldados! Perguntando-lhe se sabia a razão de tal procedimento, informou-me de que sob pretexto de uma revista que devia ter lugar da outra banda da barra, na madrugada seguinte, os ministros tinham feito preparativos para se abordar a capitânia, que devia ser completamente esquadrinhada, enquanto eu era detido em terra, tomando-se posse de todo o dinheiro que se achasse!
"Agradecendo à minha excelente amiga o aviso tão oportuno, saltei por cima da parede de meu quintal, o só caminho desembaraçado para a cavalharice, escolhi um cavalo, e não obstante o tardio da hora, parti para S.Cristóvão, palácio de campo do Imperador, onde, assim que cheguei, requeri falar à Sua Majestade. Sendo o meu pedido recusado pelo camarista de semana de maneira tal que confirmava o que me anunciara Madame Bonpland, disse-lhe que visse ao que se arriscava recusando-me a entrada; acrescentando que 'o negócio por que eu ali vinha podia ter as mais graves consequências para Sua Majestade e para o Império'. 'Mas' — tornou ele — 'Sua Majestade já foi se deitar há muito tempo'. 'Não importa' — respondi eu — "deitado, ou não deitado, quero vê-lo, em virtude de meu privilégio de ter acesso a ele a qualquer hora, e se V. se recusa permitir-me, lembre-se das consequências".
Porém, Sua Majestade não estava a dormir, e como a câmara real era imediata, reconheceu ele a minha voz na altercação com o camarista. Saindo à pressa do seu quarto n'um deshabillé que em circunstancias ordinárias houvera sido incongruente, perguntou-me: — "Que caso havia podido ali trazer-me a tais horas da noite?" A minha resposta foi — "que constando-me serem as tropas com ordem para uma revista destinada a ir à capitânia em busca de supostos vinha requerer a Sua Majestade o nomear imediatamente pessoas de confiança para me acompanharem a bordo, onde as chaves de quantas caixas a não continha se lhes entregariam e se lhes abriria tudo para sua inspeção; mas que se alguém da sua Administração antibrasileira se aventurasse a bordo em perpetração do tencionado insulto, os que o fizeram seriam certamente olhados como piratas e tratados como tais". Acrescentando ao mesmo tempo — "Esteja Vossa Majestade certo, que não são mais inimigos meus do que o são seus e do Império, e uma intrusão tão injustificável, é obrigação dos oficiais e da tripulação resistir-lhe".
— "Bem", respondeu. Sua Majestade, "pareceis estar informado de tudo, mas a trama não é minha; estando, quanto a mim, convencido de que se não acharia mais dinheiro do que o por vós mesmo já declarado".

o plano era prendê-lo nas prisões do Estado na Ilha das Cobras, sob o pretexto de ter ele tido entendimento com o inimigo durante o cerco da Bahia e deixado escapar alguns barcos. Esta história pareceu-me monstruosa na hora, mas enquanto eu a ouvia quieta, ela continuava, mais que insinuando que o Bispo e mais uma ou duas pessoas de influência estavam inclinadas a derrubar o ministério e livrar-se da influência secreta de Madame de Castro e do Barbeiro Plácido e, por meio de um ministério mais liberal (de que faria parte o meu patrício Lord Cochrane) dar à Imperatriz maior parte no Governo. Expôs todos estes planos diante de mim, contando com o meu ressentimento de Dom Pedro e esperando que isto fosse suficiente para induzir-me a entrar para o grupo, a fim de mortificá-lo, sua amante e seus ministros. Fez-me tantos e tão grandes elogios que despertou a minha desconfiança e contentei-me em agradecer-lhe o bom conceito que de mim fazia e dizer-lhe o que dizia a todo o mundo que procurava descobrir o que se passara no Palácio; tendo comido o pão e o sal do Imperador sob o seu teto, e sendo honrada abertamente com a amizade da Imperatriz, deixava a eles o encargo de explicar minha saída do serviço imperial. E assim terminou minha primeira entrevista com Madame de BonplanD. A segunda foi igualmente notável. Apareceu-me um dia coberta de lágrimas, trazendo sua filha e dizendo-me que havia então ouvido a notícia do fracasso de sua última tentativa de libertação do marido das mãos de Francia; que dificuldades haviam sido lançadas no caminho, de modo que ela tinha agora motivos para pensar que mesmo suas cartas particulares não chegavam às fronteiras, onde os funcionários de Dom Pedro tinham ordens de passá-las ao domínio de Francia. Vinha implorar minha interferência. Não pude deixar de sorrir a isso, mas disse-lhe que quando a Imperatriz conhecesse o seu caso, haveria de compreendê-la como mulher e que promoveria por certo qualquer pedido ao Imperador.

"Supliquei então a Sua Majestade quisesse tomar para minha justificação tais medidas que o público. — "De nenhumas há precisão", respondeu ele; "a dificuldade é como há de a revista dispensar-se. Estarei doente pela manhã, assim ide para casa, e não penseis mais n'isso. Dou-vos a minha palavra de que não será ultrajada a vossa bandeira pelo procedimento contemplado."

"O desfecho da farsa é digno de relatar-se. O Imperador cumpriu a sua palavra, e durante a noite achou-se de improviso doente. Como Sua Majestade era realmente amado por seus súditos Brasileiros, toda a gente de bem nativa do Rio de Janeiro estava na manhã seguinte em caminho de palácio por saber da Real saúde, e, fazendo pôr a minha carruagem, parti para o paço também, a fim de não parecer singular a minha ausência. Entrando no salão, onde o Imperador, cercado de muitas pessoas influentes, estava no ato de explicar a natureza da sua doença aos ansiosos perguntadores, ocorreu um estranho incidente. Dando com os olhos em mim, desatou Sua Majestade, sem poder conter, numa risada, em que eu mui à vontade o acompanhei; julgando sem dúvida os circunstantes, pela gravidade da ocasião, que ambos tínhamos perdido o miolo. Os Ministros pareceram atônitos, mas nada disseram. Sua Majestade guardou segredo, e eu calei-me". — (E.)

Não era isso, porém, que ela queria. Respondeu que não havia nada como uma entrevista pessoal, e que havia aprendido, com uma autoridade incontestável, que eu estava em grande favor junto ao Imperador e poderia voltar ao palácio quando quisesse requerer. Rogou-me que lhe obtivesse a desejada entrevista, tão necessária para o seu conforto e seu interesse. Ao dizer-lhe eu que não tinha relações pessoais com o Plácido e que nunca teria, a não ser convidada, perguntou-me se eu nunca havia tomado uma xícara de café nos jardins do Padre Boiret. Que ele promovia passeios à tarde, muito agradáveis, que o Imperador às vezes aparecia no correr dos passeios e que nada seria mais fácil do que prover um dia uma apresentação naqueles jardins.

Felizmente para mim, não percebi o verdadeiro sentido de suas palavras e continuei a julgá-la simplesmente uma mulher sofredora, ansiosa de se comunicar com seu marido e de libertá-lo. Minha resposta, pois, só a deixou entender que eu não sabia ter o Padre Boiret uma vila, com um agradável jardim, e que eu não gostava dele, nem o estimava bastante para ir a qualquer reunião em sua casa e que, quanto a apresentar alguém ao Imperador, a não ser por permissão ou através dos bons ofícios da Imperatriz, não o poderia nem quereria fazer. Madame B. mostrou-se mortificada e deixou-me, dizendo esperar que eu pensasse mais no caso.

Não muito tempo depois disso, Boiret em pessoa procurou-me e convidou-me a comparecer a seu jardim, insinuando-me que o Imperador *poderia* lá estar. Escusei-me civilmente, mas de tal maneira que o Padre nunca me repetiu a visita. Agora começo a perceber que algumas das cabeças menos valiosas do Rio, depois de experimentar se eu entraria voluntariamente em intrigas políticas, tentaram-me converter em instrumento para fins não dignos. Em consequência, expus o caso todo perante meu excelente amigo, o Barão de Mareschal, que imediatamente me disse que usasse seu nome quando Mme. De Bonpland me procurasse de novo, e afirmasse que ele garantiria não somente suas cartas chegarem livres à fronteira, como obteria um salvo conduto para ela, se quisesse juntar-se ao marido. Tive em breve oportunidade de dizer-lhe isto. Contudo, fez ela mais um esforço para obter um entendimento pessoal com o Imperador e foi isto por ocasião de um concerto[71], que ela deu, para obter um pouco de

---

70. Ela tocava harpa muito bem, segundo fui informada, porque nunca a ouvir tocar. — (A.)

dinheiro. Para este espetáculo, a pedido do Barão de Mareschal, o Imperador contribuiu liberalmente e, a pedido meu, os oficiais dos navios ingleses e franceses também.

Registrei estas anedotas frívolas de Madame de Bonpland com o fim demonstrar o valor de alguns dos planos que se usavam para alcançar e manter a influência sobre Dom Pedro. Não pode haver dúvida que o intento desta mulher era suplantar Mme. de Castro[72].

No grande dia em que se celebrou o aniversário do Imperador — dia que havia despertado tanta inveja entre as damas — fiquei encantada por ver que a Marquesa de Aguiar havia sido nomeada Primeira Dama da Princesinha[73]; era de família nobre — de excelente caráter, e, para uma portuguesa, tinha boa educação. Era, sem dúvida, pessoa mais indicada para acompanhar a Princesa em público, que qualquer outra no Brasil.

No mesmo dia soube, com não pequeno prazer, que o Imperador havia feito publicar no Paço uma série de regras para as filhas e suas damas, redigidas por Frei Antônio de Arrábida, que fizeram com que as criadas dos apartamentos de Dona Maria desejassem a minha volta, para libertá-las um pouco das determinações do bom confessor.

Por esse tempo eu me tinha estabelecido na minha casa de campo, com a preta Ana como criada, e um mulato (livre) extremamente destro na agulha, que me trazia as provisões, e segundo eu estava convencida, guardava-me a casa. O fato seguinte fez-me mudar de ideia quanto a este aspecto do seu caráter. Não muito depois de ter instalado minha gente e ter colocado meus livros e minha secretária junto à única janela de vidros da casa, encontrei para mim mesma uma ocupação, para as muitas horas de solidão que previ me aguardarem. Sempre apreciava muito as flores, e o esplendor da floresta virgem atrás da minha casa, naturalmente, me atraiu. Tomei emprestado do Ministro da Marinha um exemplar do Aublet[74] e

---

72. Não teve êxito senão em pequenas intrigas no Rio; a última novidade que se soube a seu respeito foi que está viajando com um oficial complacente no Pacífico. — (A.)

73. A dama de D. Maria da Glória era a marquesa de Aguiar, camareira-mor da Imperatriz. D. Maria Francisca de Paula de Portugal, viúva de D. Fernando José de Portugal, 1º marquês de Aguiar. No dia 12 de outubro de 1824, aniversário do Imperador, formou todo o Exército no Campo da Aclamação, sob o comando em chefe do governador de Armas, tenente-general Joaquim Xavier Curado. Suas Majestades Imperiais chegaram ao Campo às 11h30m da manhã. O *Diário Fluminense*, do dia 13, descreveu o séquito imperial, e entre os coches que o compunham, menciona: "o coche que conduzia S.A.I, a Princesa D Maria da Glória, com a Camareira-mor de S.M. a Imperatriz, a Exma. Marquesa deAguiar, levando ao lado 2 Moços de estrebaria a cavalo". (E)

74. Jean Baptiste Aublet (1720-1778). Botânico francês. Estudou *in loco* a flora da Guiana e escreveu a *Histoire des plantes da la Guyane Française, rangées suivant la méthode sexuelle*, Londres — Paris, 1775. — (E.)

fiquei desapontada verificando que suas gravuras eram muitas vezes imperfeitas e que, em alguns casos, ele tinha sido obrigado a estampar folhas, frutos e mesmo cálices secos, de muitas árvores das florestas, não as tendo encontrado na estação das flores nos seus lugares nativos. Resolvi fazer desenhos de tantas quanto pudesse, obtendo, ao mesmo tempo, espécimes secos para o Dr. Hooker, de Glasgow[75] ainda que não tivesse muitas instalações convenientes, sendo a minha casa muito úmida. Em obediência a este plano, era meu costume deixar a preta Ana representando seu papel de lavadeira e o mulato, comprando e cozinhando meu jantar, enquanto eu ia para o mato, à procura de espécimes de arbustos floridos e árvores para meus empreendimentos botânicos. No correr de minhas excursões, vim a saber que havia um núcleo de escravos fugidos não longe de minha habitação. Descobri ainda que as cestas, ovos, aves e frutas que me eram vendidos, vinham dessa gente, porque, como diziam eles, por meio da Ana, sabiam que eu era amiga dos pretos e que nunca delataria a existência de um núcleo de negros fugidos. Em consequência, eu me considerava bem garantida em relação aos meus desmoralizados vizinhos. Não se dava o mesmo com a boa gente portuguesa e brasileira da vizinhança, pois uma tarde, após uma festa que durara tanto tempo que os criados e as senhoras já se haviam retirado para descansar e os homens, empenhados no jogo, continuavam sentados, de portas abertas, devido ao calor, uma malta entrou pela casa e roubou todos os objetos de prata, inclusive os castiçais da ante-sala, junto ao *hall* onde se jogava! Não foi senão quando as visitas, ao voltar para casa, saíram para acordar seus criados, dormindo nas varandas, que o dono da casa descobriu ter sido roubado. Note-se que, no Rio, a ideia de roubo pelos negros fugidos, e a de atentados pessoais estão muito ligadas; em consequência, ao raiar do dia, a casa do meu vizinho estava vazia de habitantes e o alarma se espalhou de alto a baixo do vale. Minha preta Ana, que gostava de tagarelar, tinha, como soube depois, tido muito cedo conhecimento do roubo, e sem me dizer uma palavra, tomou uma grande trouxa de roupa suja e dirigiu-se a um lugar a cerca de três milhas acima no vale, onde um riacho formava um pequeno tanque e onde estava certa de encontrar todas as pretas lavadeiras do distrito. José, o Mulato, foi como de

---

75. William Jackson Hooker (1788-1865). Botânico inglês. Professor de Glasgow de 1815 a 1839; Diretor do Jardim Botânico de Kew da última data em diante.
   Deixou uma série de importantes trabalhos sobre botânica sistemática e sobre a flora de diversos países. — (E.)

costume para o mercado à cata de carne, e eu, fazendo da necessidade uma virtude, preparei meu próprio almoço e parti para o mato, depois de fechar minha casa. Na minha volta, bem antes do costume, por causa do grande calor da estação, José me encontrou e me disse que ia à cidade. Disse eu: "Não, José. Ana foi ao lugar de lavar roupa e você deve ficar para me fazer companhia". "Não" — disse ele. "Preciso ir à cidade. Pus a carne no fogo e preparei as verduras e a Sra. não terá de fazer mais que pô-las dentro d'água na hora precisa. Já pus a mesa e a Sra. pode tirar o jantar sozinha e comê-lo quando ficar pronto". "Bem, mas, José, v. não poderá estar tão apressado a ponto de não esperar que Ana volte para casa! Quando pretende v. voltar?" "Nunca", disse ele. (Ele estava apalavrado com outro patrão que lhe havia prometido maiores vantagens). "Bem" — disse eu — v. bem poderia ter me falado antes, porque poderia ter pago mais a v. se tivesse sabido que v. não estava satisfeito". A isto, respondeu ele que estava de fato decidido a ir embora e que eu deveria me contentar, ao menos por algum tempo, com os serviços da preta Ana, unicamente. "A senhora" — disse ele — "deve saber do roubo em casa da Sra. F... na noite passada. Agora, se os ladrões tiverem de vir e nos matarem, madame, se quiser, pode ficar, porque é branca e ninguém poderá mandar nela ou governá-la; enquanto a Ana, se for morta, é uma escrava e a perda será de seus senhores, mas (batia no peito) sou um homem livre e se eu for assassinado, quem pagará por mim?" Amarrou a trouxa e não me lembro de tê-lo visto nunca correr pelo vale abaixo tão depressa como nesta ocasião. Descobri depois que ele havia entrado a serviço de um alfaiate de sua própria classe, onde recebia parca alimentação e pouco pagamento, mas como a loja ficava bem junto à Repartição de Polícia, ele se considerava a salvo de toda possibilidade de roubo e de assassínio. O roubo das Laranjeiras foi de importância suficiente para atrair a atenção do governo. E não foram somente as autoridades policiais que ordenaram as buscas, mas ainda duas ou três companhias de soldados foram designadas para revistar as florestas, o próprio Imperador conduzindo-os pelos caminhos mais difíceis.

A preta Ana e eu continuamos a morar na casa de campo, sem nenhum medo de invasão, até a décima ou undécima noite após o grande roubo, quando ouvi à minha porta um sussurro como se alguém estivesse tentando entrar em casa. Prestei atenção e ouvi distintamente que estavam experimentando duas ou três janelas, uma atrás da outra. Depois o ferrolho de meu próprio quarto foi sacudido. Lembrei-me que não tinha armas de nenhuma espécie em casa e que além disso não tínhamos luz. Segredei a Ana que respondesse "Sim" a tudo que lhe dissesse. Então chamei-a para que trouxesse as pistolas que ela acharia embaixo de minha cama e que trouxesse com cuidado porque estavam carregadas. Ela respondia "Sim, Senhora" a cada ordem tão alto quanto podia gritar. Como a janela ficava a uma grande distância do terreno, o que era uma grande vantagem para nós, tomei minha machadinha e fiquei junto dela, decidida, se aparecesse um invasor solitário, a golpear-lhe a mão, se abrisse a janela, fazendo-o assim perder o seu ponto de apoio e cair. Tudo dependia também, um pouco, do caráter acovardado de meus amigos escuros. Gritei, então, tão alto quanto pude: "Quem está na janela? Fale. Se for amigo, diga o que quiser, se não, saia imediatamente, porque vou atirar". A ideia deu certo, pois logo ouvimos alguém quebrando os galhos, e saltando na estrada muito abaixo. No dia seguinte, as pegadas eram visíveis e os ramos quebrados de baunilha e de café mostravam o caminho pelo qual o intruso havia fugido. Eu sempre pensei que não deveria ter sido mais que um pobre escravo fugido, que estando perseguido, e não sabendo que minha casa estava ainda habitada, havia tentado abrigar-se ali. Contudo, no dia seguinte, obtive um par de pistolas e um fornecimento de munição. Fiz com que fossem transportadas com o maior espetáculo possível, arranjei um amigo que deu uns tiros para mostrar aos meus vizinhos que estava alerta. Pouco tempo depois, contratei um negro, rapaz realmente bravo, e tendo vendido algumas colheres de prata, comprei um cavalo branco com o produto da venda, e acrescentei um cão ao meu estabelecimento. Senti-me em perfeita segurança, estendendo minhas excursões muito adentro da floresta, acompanhada de meu empregado e de meu cão e comecei a colecionar peles de cobra, além de plantas.

Achei em meu novo José um verdadeiro tesouro! Era filho de um rei da África: tinha sido deixado como morto num campo de batalha, antes que suas feridas estivessem bem curadas. Sobrevivera a travessia e, ainda que indignado por ser escravo, acostumara-se a considerar isso como uma consequência de uma guerra mal sucedida, e não deixava que sua indignação estragasse seu bom humor. Era por demais grato ao seu proprietário de então, pelo cuidado que havia tomado com suas feridas e sua saúde antes de mandá-lo trabalhar, para ter qualquer pensamento contra seus interesses. O maior prazer de José, enquanto esteve comigo, era trazer um banco, sentar-se do lado de fora da janela de meu quarto, se me via somente desenhando ou trabalhando, e pegando uma cobra para tirar a pele, suas roupas para remendar, ou os arreios do cavalo para limpar, entreter-me com histórias da grandeza de seu pai na África: como obrigava os homens de importância a reverenciá-lo e como, quando ele queria mandar uma mensagem a um grande homem muito longe, enviava uma vara com um pedaço de algodão enrolado em torno, com marcas. Quando estas marcas correspondiam com outra vara, que o potentado possuía, ele sabia o que o Rei desejava que ele fizesse. Esta anedota me impressionou tanto que o fiz repetir várias vezes, mas lamento muito que o seu conhecimento muito imperfeito do português e a minha ignorância total das línguas africanas me impedissem de obter mais informações desse inteligentíssimo rapaz.[76]

Quanto à sociedade, enquanto a família do Sr. Lisboa esteve em sua vila nunca fiquei sem a possibilidade de contato diário com algumas das mais importantes pessoas do Rio.

Visitei eventualmente três ou quatro famílias inglesas e uma ou duas francesas e, como para mostrar que não estava em desgraça na corte, via frequentemente a filha do Primeiro Ministro em sua casa, e ainda mais frequentemente em casa de seus pais. À dona Carlota de Carvalho e Melo devo um maior conhecimento de Literatura Portuguesa que não teria obtido de outra maneira, ainda que seja digna de se estudar[77].

Na família de sua mãe, havia várias senhoras gentis e amáveis, cujo conhecimento deveria ter cultivado mais diligentemente, se não fossem temores e ciúmes da parte da sociedade inglesa no Rio[78]. Meus principais amigos, contudo, eram o Barão austríaco M. (Mareschal), o Almirante francês Grivel, o Cônsul dos Estados Unidos[79] e sua família e cerca de metade dos oficiais que haviam servido no Chile, e estavam então ao serviço do Brasil, permaneciam todos empenhados em submeter as cidades do Norte à obediência do Imperador.

76. O trecho que se segue está riscado no texto inglês. (T)
77. D. Carlota Cecília Carneiro de Carvalho e Melo, filha de Luiz José de Carvalho e Melo, Visconde da Cachoeira, e de sua mulher D. Ana Vidal Carneiro da Costa; nasceu em 25 de dezembro de 1804, casou-se com Eustáquio Adolfo de Melo Matos, que foi diplomata e deputado à Assembleia Geral pela província da Bahia. De D. Carlota escreveu à autora *(Jornal of a Voyage to Brasil*, etc, ps. 224.) que ela se distinguia pelo seu talento e cultura, falava e escrevia bem o francês, fazia muitos progressos em inglês, e, além disso, conhecia a literatura do país, desenhava corretamente, cantava com gosto e dançava com muita graça; era o que se podia chamar uma menina bem prendada. Faleceu em 22 de fevereiro de 1873. *Revista do Instituto Histórico*, tomo XLIII, parte ª, pgs 375/376. — (E.)
78. A Viscondessa de Cachoeira era filha de Braz Carneiro Leão e de sua mulher D. Ana Francisca Maciel da Costa, baronesa de São Salvador de Campos dos Goitacazes; suas irmãs D. Mariana Eugênia e D. Maria Josefa, de relevo na sociedade da época, casadas, e mais algumas moças interessantes, que a autora conheceu em reuniões familiares na casa de campo da Viscondessa, em Botafogo, belo prédio, construído com gosto e muito bem mobiliado. Op. et loc. Cit. — (E.)
79. O cônsul dos Estados Unidos no Rio de Janeiro era Condy Raguet, que residia à rua do Ouvidor. Foi Encarregado de Negócios, em caráter interino, em 1822 e 1823; em 29 de outubro de 1825 passou a efetivo; pediu passaportes em 8 de março de 1827 e recebeu-os dois dias depois. — (E.)

Por esse tempo o Ceará e o Maranhão haviam se rendido à esquadra de Lord Cochrane, e ela lá se deixava ficar na dupla posição de Almirante Geral e chefe civil, até que pudesse receber ordens do Rio. O Pará se havia rendido a uma força pequena e bem organizada sob o comando do Capitão Grenfell, cujo sucesso foi empanado por um crime atroz cometido por alguns chefes Realistas. Um barco, cheio de prisioneiros e escravos, elevando-se a centenas, estava ancorado no rio; as provisões do costume foram preparadas e levadas uma noite para os pobres miseráveis; havia de ser a última refeição!, pois a comida estava envenenada[80], e o que fez o crime ainda mais atroz foi que tentaram inculpá-lo ao Capitão Grenfell.

Em consequência desta feia acusação, o Imperador, a requerimento de Grenfell, determinou que se organizasse um Conselho de Investigação. É inútil dizer que os seus inimigos se serviram de todos os meios, e com malícia não hesitaram em utilizar quaisquer deles — o próprio perjúrio foi empregado nesta ocasião pelas pessoas que tendo aberta ou secretamente, sustentado a causa da Metrópole, encontraram então uma boa oportunidade para se declararem adeptas de Dom Pedro. Muitas delas tinham relações no Rio, algumas eram mesmo ligadas por laços de família a membros do ministério, e levavam vantagem num julgamento em que os juízes eram, na maior parte, compostos de seus próprios amigos e parentes. Felizmente o bom senso natural de Dom Pedro habilitou-o a descobrir e desconcertar esta conspiração contra o Capitão Grenfell. Os verdadeiros responsáveis pelo crime foram levados à barra do Tribunal e do Conselho e o Capitão Grenfell não só foi isento de todas as acusações, como foi promovido de posto, e recebido com honras publicamente pelo Imperador. É triste dizer que, a não ser a reprovação ligada à conduta, os conspiradores e crimi-

---

80. Embora Rayol, *Motins Políticos do Pará*, I, ps 86, registre a versão, então corrente, de ter sido envenenada a água fornecida aos presos, atribuindo-se o preparo do tóxico ao boticário João José Calomopim e a Bernardo José Carneiro, parece que a verdadeira causa da catástrofe é a que dá Varnhagen, *História da Independência*, ps. 500, onde se narra que o grande número de presos, 253 (ou 256, segundo nota do barão do Rio Branco) foi recolhido a bordo de uma presiganga, navio de umas 600 toneladas, no dia 21 de outubro de 1823, confiada sua guarda a uns poucos soldados ao mando do 2° tenente Joaquim Lúcio de Araújo. "Encerrados no porão e tentando em massa invadir a coberta, obrigou-os o comandante a se recolherem, fazendo disparar alguns tiros para atemorizá-los, e mandou logo correr as escotilhas. Seguiram-se alaridos, que mal se ouviam, e pareciam um coro infernal, ressoando debaixo da coberta. Pouco a pouco foi amortecendo, e alguns jorros de água foram lançados com todas as prevenções. No dia seguinte havia cessado de todo o barulho. Abriu-se, ainda com todas as cautelas, uma das escotilhas, quando — horror! — não foi visto no porão mais que um monte de cadáveres. Sufocados pelo calor, em acesso de loucura, se haviam todos despedaçado uns aos outros. Dos 253 havia mortos 249, e só quatro respiravam ainda o alento da vida, escondidos detrás de umas barricas de água, onde haviam buscado refúgio. — (E.)

nosos não receberam punição alguma. Mas o Império estava ainda muito moço e o ministério muito fraco e muito interessado em coisas particulares para ousar fazer justiça em relação a pessoas ricas, cujas relações comerciais lhes davam uma poderosíssima influência sobre as províncias do Norte.

Enquanto estas coisas se passavam no Norte, uma guerra fraca se desenrolava no Rio da Prata. O Brasil tinha antigas pretensões sobre a província que fica a nordeste deste Rio. Os diferentes chefes que se tinham tornado senhores da República Argentina não poderiam deixar de pretender a *Banda Oriental*, se não fosse por outras razões, ao menos pelo fato de que, daquele lado, o rio, especialmente perto de Montevidéu, é bastante fundo para formar um ancoradouro para navios, ao passo que toda a costa de Buenos Aires é tão rasa que se torna um lugar perigoso para navios de qualquer tonelagem. Quando digo que as operações de guerra se arrastavam, quero significar que ambas as partes anteviam um acordo na divergência, pela intervenção da França ou da Inglaterra, e os mais importantes ataques se restringiam a meras escaramuças em postos avançados

Quanto à situação interna do Brasil, apresentava por esse tempo curiosas anomalias. A Assembleia Legislativa estava funcionando, fazendo e desfazendo projetos, discursando todos os dias, cada membro mais ansioso por falar do que por trazer qualquer contribuição particular à legislação. E, realmente, quando se pensa que muitos representantes das Províncias distantes tinham que fazer uma viagem de dois meses, para chegar à Câmara dos Deputados, é de se admirar que se aproveitassem da oportunidade a fim de demonstrar uma oratória suficiente para fazer figura no *Diário*, para brilhar perante os olhos de seus constituintes, quando esta preciosa publicação lhes chegasse às mãos?

As capitanias do sul, das quais podemos considerar São Paulo como capital, eram fortemente monárquicas e muito dedicadas à causa de Dom Pedro, enquanto que as que haviam estado sob governo holandês, após a conquista do Conde Maurício de Nassau, desde a Bahia até o Pará, tinham sentimentos decididamente republicanos, reforçados sem dúvida pelo constante intercâmbio com os Estados Unidos. Os cônsules deste país eram, com uma ou duas exceções, verdadeiros agentes políticos, inculcando aos estados da América recém-emancipados, os seus próprios estados como os modelos mais convenientes para todos os novos governos.

Em consequência dessa diversidade de opinião, o Imperador, tendo de sustentar dispendiosamente um exército e uma marinha, não recebia senão meia receita. Só as províncias do Sul e do interior pagavam impostos. A Bahia e Pernambuco recusavam-se a entrar com qualquer quantia para o Tesouro Imperial, alegando que era bastante pagar as despesas de seus governos locais e as tropas que estivessem empregadas em suas guarnições, de modo que, como já observei, a posse pelo Imperador de uma esquadra principal no mar era a única coisa que, então, mantinha coesas as partes do Império.

Por muitos anos, o estado da Igreja Romana no Brasil se vinha corrompendo, no seu governo, e, mais ainda, na moralidade de seu clero. O Bispo do Rio e alguns homens de sentimento desejavam, se possível, vê-la purificada, e, entre outras medidas para alcançar este fim desejável, os conventos de homens e mulheres tiveram proibição de receber os votos de pessoas inferiores a uma certa idade[81] e tentou-se regularizar o clero paroquial.

Há uma classe do clero brasileiro que sempre desejei ver voltada para melhor atividade do que a que até aqui tem desempenhado — são os capelães particulares, se pode assim chamar. Preciso explicar. A lei portuguesa sobre escravos exigia que todo negro fosse batizado, tanto os importados quantos os nascidos no país. Acontece que a maior parte dos engenhos de açúcar e fazendas de café ficava a uma distância muito grande de qualquer cidade para que fosse possível transportar os negrinhos logo que nasciam a uma igreja, para serem batizados, e quase tão difícil obter um padre da cidade tantas vezes quanto fosse necessário. Entretanto, por mais que um senhor de escravos brasileiro desprezasse os cuidados materiais com seus negros, seria difícil encontrar um só que se não preocupasse com suas almas e não ligasse a maior importância à simples cerimônia do batismo, tal como os romanistas ensinam. A consequência disso é que quase todas as fazendas têm anexa uma capela com um capelão. Mas estes não se limitam a seus deveres sacerdotais: superintendem o hospital e como, há

---

81. O novo governo proibiu qualquer nova profissão e como os antigos habitantes dos conventos e mosteiros falecem, os edifícios ou serão vendidos com suas terras, ou empregados em finalidades públicas, tais como hospitais, quartéis, escolas etc. (A). Em 1828 foi apresentado à Câmara dos Deputados, discutido e aprovado, um projeto que proibia a admissão e residência no Império a frades e congregações religiosas estrangeiras, que exercessem suas funções em corporação, quer isoladamente, vedando, outrossim, a criação de novas ordens de coração etc. Esse projeto não teve andamento no Senado; mas as medidas de que cogitava vieram a vigorar, em parte, por força do aviso do ministro do Império Nabuco de Araújo, de 19 de maio de 1855, que ordenava que as ordens religiosas não aceitassem noviços, até que o governo fizesse concordata com a Santa Sé sobre a reforma e reorganização desses institutos. Antes dessa circular, as leis de 1830, 1831, 1835 e 1840 já haviam declarado extintas a Congregação dos Padres de São Felipe Néri, a dos Carmelitas Descalços, ambas de Pernambuco, a dos Carmelitas de Sergipe, e a dos Carmelitas Descalços da Bahia. — (E.)

quarenta anos, poucos além do padre pensavam em aprender a ler e escrever no Brasil tornaram-se os mordomos e os contabilistas dos estabelecimentos. Sempre pensei que estes homens pudessem ser os melhores agentes de civilização e de progresso do país[82]. Mas no baixo nível de educação e moralidade em que os encontrei, apesar de alguns receberem e merecerem o mais respeitoso tratamento, a maior parte deles era olhada como não melhor que os cães e, realmente, não mereciam mais. A existência de uma classe de homens, ligando, como estes, os interesses dos brancos com os da população negra, poderia ser uma circunstância muito favorável para o Brasil, se aproveitada judiciosamente. Penso que não há muito que temer quanto ao zelo demasiado da parte do alto clero, tanto quanto pude conhecê-lo, mas a falta dos bons benefícios e postos no interior, desde a expulsão dos jesuítas, faz com que uma transferência na organização interna da Igreja, seja matéria indiferente ao próprio clero. Já em algumas propriedades particulares, o dono de duas ou três fazendas consegue manter uma capela entre elas, bastante grande para conter os escravos cristãos de todas as suas propriedades e paga um tal estipêndio ao padre que pode induzir um homem de hábitos suficientemente decentes e de boas maneiras a se tornar um companheiro e amigo da Fazenda e aceitar o encargo. Entre os padres nestas últimas condições, percebi grande carinho para com os negros, humanidade no serviço do hospital e das crianças e tenho boas razões para acreditar que a mudança de residência de uma propriedade para outra, por um período fixo, prejudicaria muito pouco o cuidado com os negros e daria emprego mais estável, como escrevente, ao Padre, deixando-o menos exposto às tentações, que são muito frequentes na sua vida solitária e que no clima enervante do Brasil, os tornam pior que inúteis à comunidade. Mas voltemos ao Rio e aos meus negócios. [83]

---

82. Especialmente se a reforma da Igreja Brasileira, de que ouvi falar depois que o que está acima foi escrito, for levada a cabo. Os bispos propuseram agora ao Papa que permitisse aos cleros brasileiros o casamento. (A) Não houve nenhuma proposta dos bispos brasileiros ao Papa, mas simplesmente uma indicação do deputado Ferreira França à Assembleia Geral Legislativa, para que fosse permitido o casamento ao clero do Brasil. Sobre essa indicação manifestou-se o padre Diogo Antônio Feijó no Voto do Sr. Deputado...como membro da Comissão do Eclesiástico, sobre a indicação do Sr. Deputado Ferreira França, em que propõe que o clero do Brasil seja casado...(aos 10 de outubro de 1827). Rio de Janeiro, 1827, in-fol. Esse Voto provocou ruidosa polêmica e originou a réplica de Feijó: Demonstração da necessidade da Abolição do celibato clerical pela Assembleia Geral do Brasil e da sua verdadeira e legítima competência nesta matéria. Rio de Janeiro, 1828, in-8. — (E.)

83. Aqui termina o trecho cancelado pela autora. (T)

Tanto quanto os meus negócios pudessem ser influenciados pelo que os habitantes do palácio pudessem fazer ou causar, tenho razões para crer que os constantes desapontamentos que senti em minhas tentativas de deixar o Rio não deixaram de ser influenciados por Sua Majestade Imperial, ou, pelo menos, pelos seus conhecidos desejos.

É certo que, muitas semanas após eu ter deixado Boa Vista, havia uma expectativa diária entre os interessados, de que eu pudesse reingressar com poderes muito maiores do que a princípio, na minha antiga situação, e muitas foram as insinuações recebidas, de que nada faltava para isso senão meu aparecimento com um requerimento escrito, em qualquer das audiências do Imperador; mas também fui informada de que não seria necessária nenhuma humildade especial, pois o Imperador, falando em mim mais de uma vez, havia dito às portuguesas que gostava de meu espírito e que teria mais respeito à "canalha" do Paço se acreditasse que qualquer delas seria capaz de escrever a carta que eu lhe havia escrito. Mesmo agora custo a conter o sorriso pela surpresa evidentemente despertada em todos os portugueses e brasileiros — homens ou mulheres de qualquer grau, por alguém ser tão fria como eu era, perante a honra de servir a um Bragança!

Supunha-se no Palácio que após Frei Antônio de Arrábida ter expedido o regulamento e as damas haverem sido forçadas a uma conduta mais ordeira, que eu voltaria com prazer, ao menos para triunfar sobre meus antigos atormentadores; mas eu havia resolvido intimamente nunca me colocar numa situação de dependência, e, mesmo que não fosse o caso, a convicção de estar cercada por pessoas que não me apreciavam ou me temiam, me teria impedido de pôr de novo os pés no Palácio. Mas eu tinha uma outra razão, e mais egoísta, para a minha conduta. Eu estava muito realmente ligada à Imperatriz e, se pudesse de algum modo aliviar a situação dela permanecendo, ou voltando para o seu serviço, penso que teria suportado até mesmo a vida que levava na Boa Vista. Mas minha presença ali estava tão longe de produzir esse efeito que cedo descobri, e até ela mesma o confessou, que se tornava antes um motivo de provações para ela, e os repetidos murmúrios contra a introdução de uma segunda estrangeira no Palácio, apontando-se Sua Majestade como a primeira, causavam-lhe muitas dores e mal-estar, que as nossas poucas e alegres horas de intercâmbio social não poderiam compensar. Devo dizer, contudo, que não obstante qualquer coisa que o Imperador possa ter sugerido com relação à minha insolência, como era chamada a minha insistência em me manter afastada das honras do Palácio, nunca deixou ele, em todas as ocasiões possíveis, de me demonstrar a atenção necessária para impedir os meus inimigos — se é que os tinha — de atribuírem-me qualquer séria acusação em deixar a Casa Imperial. Um notável exemplo disso ocorreu num dia em que eu jantava com os cônsules da Inglaterra. Era uma das grandes festas da Igreja e estávamos, após o jantar, na varanda, em frente à janela, contemplando a alegria do povo que ia e voltava, quando súbito apareceu todo o séquito Imperial a cavalo, a caminho do Jardim Botânico. Não faltaram, naturalmente, cumprimentos e cortesias da nossa varanda. O Imperador respondeu-os ao passar, mas olhando de novo me viu um pouco atrás dos outros. Gritou para saber se eu ali estava, parou o cavalo, desceu e conversou comigo por alguns minutos. Perguntou-me pela saúde, e disse-me ter passado por minha casa de campo e que me teria procurado se não a tivesse encontrado fechada. Eu sabia que tudo isso tinha por fim obsequiar-me perante meus patrícios, e certamente, atingiu este fim, tanto quanto em nova ocorrência da mesma espécie que narrarei agora, posto que não se tenha passado senão muitos meses depois.

Pouco depois da chegada de Sir Charles Stuart como embaixador de Portugal no Brasil, os ingleses residentes no Rio propuseram-se a organizar uma corrida de cavalos em Botafogo[84]. O Almirante Sir George Eyre[85], tendo uma bela casa no fim da praia, convidara Sir Charles Stuart e sua comitiva, a família do cônsul e eu para almoçar. O Imperador nunca falhava nestas ocasiões e trouxera a Imperatriz para esta roda inglesa, de que ela se orgulhava não pouco, muito antes dos animais estarem prontos para partir. A princípio os soberanos estavam na outra extremidade da pista, mas como não havia lá sombra nem brisa, foram compelidos a se abrigar do nosso lado para sua comodidade. Quando o carro do Imperador fazia a curva

---

84. O *Diário Fluminense*, de 2 de agosto de 1825, publicou a respeito o seguinte:
"Domingo, 31 do corrente, tiveram lugar, na praia de Botafogo, grandes corridas de cavalos, as quais SS.MM.II. se dignarão presenciar. A praia apresentava uma interessante vista, o grande número de cavaleiros, de seges, e de embarcações faziam hum todo aparatoso; entre o grande número de pessoas que ali vimos, notamos os Exmos. Conde de Palma, Ministro dos Negócios Estrangeiros, o dos Negócios da Justiça, Sir Charles Stuart, e outras muitas pessoas distintas. Este divertimento, que já não é novo entre nós, pôde ter um bom resultado para o Brasil, e vem a ser, que se nossos compatriotas com ele se entusiasmarem, como fazem os Ingleses, haverá mais cuidado que até agora sobre as raças de cavalos, objeto que nos tem sido até hoje indiferente". — (E.)

85. O contra-almirante Sir George Eyre era o comandante em chefe da estação naval britânica na América do Sul. No Rio de Janeiro, residia na praia de Botafogo. Em 6 de setembro de 1824 pedia isenção de direitos na Alfândega para um caixote, que continha garrafas de vinho, e uma quantidade de chá, vindo de Guernesey, para seu uso particular. *Diário Fluminense*, de 14 do mesmo mês e ano. — (E.)

para se colocarem posição, suas Majestades cumprimentaram o grupo do Almirante, e, depois, Dom Pedro, com sua voz poderosa, ordenou-me que me aproximasse e falasse à Imperatriz, já que ela iria se colocar demasiado longe para que se pudesse ouvir a sua voz. Não era uma ordem que pudesse ser desobedecida. Fui, e após seu habitual aperto de mão e o "How d'ye" (em inglês), fui forçada a acercar-me da Imperatriz, lado a lado no carro, onde tive com ela uma curta conversa, tal como o tempo e o lugar me permitiam. Voltei ao meu grupo, onde encontrei o Almirante não pouco espantado, alguns de seus oficiais encantados, e Sir Charles Stuart, divertido pela delicadeza demonstrada para com a ex-governante. Sir Charles disse-me alguma coisa para me significar que não era preciso que eu afirmasse não ter deixado o Paço por causa de nenhum desentendimento pessoal ou aborrecimento, pois que Suas Majestades haviam determinado declarar cabalmente isto para mim.

Mostrei agora como Dom Pedro agiu para desfazer perante mim a cena do meu último dia no Palácio. Não posso com tanta facilidade demonstrar a delicadeza com que a Imperatriz sempre me atendeu e aos meus interesses, enquanto estava a seu alcance. Ela não somente acompanhava o Imperador em todas as suas manifestações públicas a meu respeito, mas sempre que uma senhora portuguesa ou brasileira que era apresentada, indagava se me conhecia — quando me havia visto antes, e várias delas me afirmaram que eram muito mais bem recebidas quando tinham algo a meu respeito que contar. Não se satisfazendo com isso, escrevia-me frequentemente e os seus bilhetes são da maior delicadeza para comigo. Eu só gostaria de o poder ter lido com menos tristeza pelo assunto. Copiarei aqui dois deles:*

"Minha queridíssima amiga.

Se eu estivesse persuadida de que vossa permanência pudesse ter alguma consequência aborrecida para vós, seria a primeira a vos aconselhar a deixar o Brasil. Mas, crede-me, minha delicada e única amiga, que é um doce consolo para meu coração saber que habitais ainda por alguns meses o mesmo país que eu.

Ao menos, quando uma imensa distância, que o meu destino não permite transpor, me separar de vós, eu me resignarei, com a doce certeza de que a nossa maneira de pensar é a mesma e a nossa amizade constante

---

*. Poderia acrescentar a carta que a figura à página 38.

para sempre. Ficai tranquila quanto a mim. Estou acostumada a resistir e a combater os aborrecimentos e quanto mais sofro pelas intrigas, mas sinto que todo o meu ser despreza estas ninharias. Mas confesso, e *somente* a vós, que cantarei um louvor ao Onipotente quando me tiver livrado de certa *canalha*.

Assegurando-vos toda a minha amizade, que vos seguirá por toda parte onde eu estiver, vossa afeiçoada,

MARIA LEOPOLDINA

São Cristóvão — 6 de novembro de 1824.

"Minha delicadíssima amiga! Não gosto nunca de lisonjear, mas posso assegurar-vos que somente em vossa cara companhia torno a encontrar os doces momentos que deixei com minha amada e adorada pátria e família. Só as expansões em um coração de uma verdadeira amiga podem promover a felicidade.

Aguardo com a maior impaciência a certeza de que estais completamente restabelecida[86]; ouso rogar-vos, como uma amiga que se interessa realmente por tudo que vos diz respeito, que espereis que eu promova uma ocasião em que possais ver meus filhos, porque, por tudo deste mundo, quero vos evitar serdes tratada grosseiramente por certas pessoas, que cada vez me são mais insuportáveis. Fico sossegada e cai-me um grande peso do coração por saber que fizestes chegar a vossa opinião ao vosso insuperável e respeitável *compatriota*[87] o qual creio que infelizmente só tarde demais será estimado como merece. Ao menos fica me, a mim, a satisfação de não tê-lo jamais prejudicado.

Minha cara e muito amada Amiga, jamais, crede-me, ousaria ofender vossa delicadeza. Mas, como amiga, e uma que partilha sinceramente vossos prazeres e tristezas, podendo imaginar que sofreis privações, ouso rogar-vos que aceiteis como um presente de amizade esta pequena ninharia em dinheiro que me vem do meu patrimônio na minha cara Pátria[88]. Ainda que seja pouca coisa, infelizmente minha situação não me permite, tanto quanto desejo, ajudar-vos a obter algumas comodidades.

---

86. Eu havia destroncado o braço esquerdo e quebrado o pequeno osso. (A)
87. Lorde Cochrane. — (A.).
88. Quarenta mil réis — cerca de 10 libras. (A)

Ouso rogar-vos, já que tendes mais ocasiões que eu, que fui exportada para este país de ignorância, que me cedais as Memórias de Literatura Portuguesa e os Documentos relativos a Cristóvão Colombo que seriam de grande utilidade para eu mesma.

Eis que me chamam. Deixo-vos com muito pesar, assegurando-vos toda a minha amizade.

Sou vossa muito afeiçoada,

LEOPOLDINA

São Cristóvão, 1º de março de 1825.

P.S. Se me fizerdes o prazer de me enviar os livros que peço, rogo-vos que os entregueis ao portador desta carta."

A cópia desta carta me traz à lembrança um episódio de minha vida no Brasil que poderei mencionar aqui como em qualquer outro lugar. Só dois ou três meses após deixar o Paço, recebi a carta de crédito vinda da Inglaterra, que minha mudança de residência tornara necessária. Não tenho dúvidas que teria obtido dinheiro dos comerciantes ingleses se tivesse querido, mas a atitude fria, posso mesmo dizer, indelicada deles para comigo, quando deixei a Boa Vista, aguardando em que parariam as coisas antes de me reconhecerem, forçara-me a não me tornar obrigada a nenhum deles, e tendo vendido tudo que não me era absolutamente necessário, como colheres, garfos, bules de chá, etc..., vivia com bastante economia com o dinheiro que a venda produzira, até que me chegaram as cartas, quando comecei a me tratar um pouco melhor. Durante o meu tempo de poupança, uma pessoa bem conhecida da Imperatriz procurou-me à hora do jantar, e ficou, creio eu, um pouco impressionada com a boa vontade com que comia em um prato usado geralmente pelos negros. Não tenho dúvidas ter sido sua narração que induziu a Imperatriz a enviar-me este pequeno presente que ela sempre afetava considerar como dificilmente equivalente ao valor dos livros que ela pedira.

Explicarei sua alusão ao meu desastre.

Uma manhã cedinho, recebi um aviso dela. Desejava que eu fizesse o possível para estar no Paço da Cidade, a uma certa hora, nesta mesma tarde, porque ela me queria ver particularmente. Em consequência, parti numa caleça pela hora marcada, e apenas chegava à cidade, o cocheiro, guiando furiosamente, subiu pelas escadas de um convento, com tanta violência, que quebrou a caleça completamente em pedaços e atirou-me do outro lado da rua, onde caindo sobre o pulso de minha mão esquerda quebrei o osso pequeno. Fiquei aturdida com a queda. Contudo levantei-me rapidamente. Chegavam exatamente dois oficiais da marinha francesa, que me acompanharam até o Dr. Dickson, onde tive o braço bandado, e, após beber um pouco de vinho Madeira e água, parti de novo para o Palácio, onde a Imperatriz, a princípio, acreditou ser meu estado muito grave, até que eu pude explicar a causa do sofrimento que não podia esconder. Ela entrou muito ansiosamente no assunto por cuja causa me havia chamado e não pude senão sorrir enquanto ela falava, ao pensar que ela própria estava abrindo caminho para que eu entrasse na política se tivesse para isso inclinação. Queixou-se a mim de que os ministros de então eram todos portugueses de coração; que seus interesses comerciais quase idênticos aos de Portugal os tornavam muito tímidos quanto aos resultados da Guerra Naval em curso no Norte; que as propriedades confiscadas como presa de guerra, dos velhos portugueses, eram geralmente, de fato, se não a metade, de brasileiros; e ainda que os ministros se envergonhassem, publicamente, em alegar isso como razão da frieza com que olhavam o sucesso da esquadra no Maranhão e no Pará, não poderia haver dúvida quanto aos sentimentos deles com relação ao presente estado de coisas. O Imperador havia até então desprezado as insinuações e mesmo os conselhos claros, mas eles haviam agora tocado em um expediente para conquistá-lo à opinião deles, que não tinha senão muito grandes possibilidades de sucesso.

Era sabido que Dom Pedro tinha grande consideração pela sua mãe e era também sabido que ela lhe inspirava quase tanto amor quanto temor. Eles haviam, pois, espalhado a notícia, havia algum tempo, que as Cortes a mantinham em tal submissão e lhe concediam uma renda tão escassa, que ela precisava de algumas necessidades para viver. Chegaram a iniciar uma subscrição para a Rainha e cada um contribuía na proporção de seus desejos de ser bem visto na Corte. A consequência de tudo isso foi uma grande disposição para se dar ouvidos ao plano da Rainha de reconquistar o Brasil, como um apanágio da Coroa de Portugal, por meio de um casamento de Dona Maria da Glória com seu tio Dom Miguel, cujo atroz caráter não era conhecido então senão no Brasil. Havia esperanças de que as Cortes não poriam nenhum embaraço. Ouvia sua Majestade Imperial falando-me pela primeira vez de negócios públicos, mas ela em breve chegou à razão da minha chamada. Ela disse que um dos modos de agradar a Rainha de Portugal em que se havia pensado, posto que Dom Pedro nunca o aceitasse, poderia ao menos entrar em execução até certo grau. Eu dificilmente serei acreditada quando contar a louca atrocidade do plano. Em primeiro lugar, toda mercadoria, pública ou privada — munições de guerra ou mercadoria — seria devolvida e dadas indenizações pelos danos feitos no curso da guerra. Os chefes da esquadra deveriam ser declarados traidores por terem atacado a propriedade dos súditos de Dom João VI, protestando-se que as ordens haviam sido, não de chegar a uma guerra no momento, mas simplesmente vigiar as costas. Suas propriedades seriam confiscadas e eles próprios aprisionados ou submetidos a qualquer outra punição que se julgasse conveniente infligir, e os oficiais inferiores seriam todos demitidos sem nenhuma outra nota. Este plano devia corresponder a dois fins que os Ministros tinham muito a peito, além de agradar a Rainha de Portugal: verem-se livres de estrangeiros, cuja presença lhes era uma dor e um agravo, e aliviar o tesouro do Brasil de uma quantia que eles teriam prazer em recolher sendo imensa, e que tinha sido prometida ao Almirante, oficiais e soldados, ao ingressarem ao serviço do Brasil. Sua Majestade Imperial perguntou-me então se eu nunca havia tido nenhuma comunicação com Lord Cochrane; eu disse que havia recebido um grande pacote dele pelo correio, contendo um jornal e um panfleto com estatísticas da província do Maranhão, juntamente com poucas linhas de um dos seus secretários, dizendo que o Lord estava muito ocupado para escrever, mas rogava que eu levasse aqueles papéis para a Europa, se para lá seguisse. Ela me pediu então que escrevesse a S.Ex. narrando tudo o que me havia dito e que o avisasse de que, se ele prezava a liberdade ou sua dignidade, não entrasse no porto do Rio de Janeiro, enquanto estivesse no poder o atual ministério. Prometi-lhe fazer isto; perguntei-lhe quando poderia vê-la novamente, se as crianças me haviam esquecido de todo. Estes assuntos levaram-nos a um bom tempo de conversação sobre o estado da família na Boa Vista, e ainda a tagarelices sobre pessoas públicas e particulares e especialmente os ingleses, que estavam ou haviam estado no Rio. Na verdade, devo dizer que Sua Majestade Imperial não tinha exemplares muito favoráveis para um julgamento entre os que lá haviam estado em qualquer tempo. Com relação aos simples passageiros, terei ocasião de falar adiante.

 Voltando para casa, comecei a refletir, não somente sobre a conveniência, mas ainda na praticabilidade de atender aos desejos da Imperatriz. E se a Imperatriz houvesse sido enganada, ela própria, e assim levada a me enganar, a fim de se descobrir até que ponto eu estaria ao par ou teria participação em algum dos planos atribuídos aos oficiais ingleses? E se fosse parte de um plano para fazer o Almirante e os oficiais deixarem o serviço espontaneamente e assim perderem os vultosos pagamentos e prêmios, verdadeiros objetivos da cobiça ministerial!

Devido à dor que sentia de meu braço machucado, e que me impedia de dormir, tive bastante tempo de tomar uma resolução.

Terminei como sempre sucede comigo — tinha feito uma promessa e devia cumpri-la — acontecesse o que acontecesse. Escrevi, pois, minha carta e enviei-a ao Capitão Grenfell que, felizmente para mim, estava então no Rio. Entreguei-a em mão e confiei nele, como um seguro intermediário. Se ela jamais chegou ao sei destino, não sei, já que não tive nenhuma comunicação posterior com o Almirante. Está assim explicada a alusão feita na última carta da Imperatriz acima transcrita e feita uma narrativa de uma das poucas aventuras que interromperam as minhas sossegadas ocupações diárias, que me enchiam o tempo enquanto detida no Brasil.

Uma outra interrupção muito agradável[89] se deu com a chegada do navio inglês Blonde, comandado por Lord Byron[90], então em viagem para as Ilhas Sandwich para transportar os corpos dos falecidos Rei e Rainha, deste nosso novo aliado, ao país natal, levando também a bordo o Primeiro Ministro Boki, com sua mulher, o Tesoureiro-chefe e o Almirante Chefe [91.] Mas destas pessoas tão interessantes, fiz alhures uma narrativa[92.]

---

89. Este trecho está riscado pela autora. (T)

90. Das "*Notícias Marítimas*", do *Diário Fluminense*, de 30 de novembro de 1824: "Entradas. Dia 27 do corrente: Falmouth, 45 dias. F. ingl. Blonde. Com.Lord Byron; conduz os cadáveres do Rei, e da Rainha de Sandwich, e 12 pessoas de sua comitiva". *A Blonde* demorou-se no porto do Rio de Janeiro até 18 de dezembro, quando saiu com destino a Valparaíso. *Diário*, de 22 do mesmo mês. (E)

91. *O Diário Fluminense*, de 21 de outubro de 1824, publicou a seguinte notícia sobre a morte do rei das Ilhas Sandwich, datada de Londres, 15 de julho: "é um dos nossos tristes deveres o anunciar hoje a morte do Rei das Ilhas de Sandwich, a qual aconteceu ontem às 4 horas da manhã, no Hotel de Caledônia, na rua Robert, Adelphi. Terça-feira, pela manhã, achava-se alguma coisa melhor e passou a noite tranquilo; porém de tarde piorou, e de noite foi preciso mandar chamar o Doutor Ley, o qual, quando chegou, achou o Rei muito abatido, e quase moribundo. O Rei quando viu o Médico pegou-lhe na mão, e disse na sua língua — estou para morrer, sei que morro. Continuou em aflição, conhecendo todos os que cercavam. Madame Poki, mulher do Governador, lhe prestava particular atenção; e lhe sustentou a cabeça desde a 1 hora até que expirou; o Governador Poki, e o resto da comitiva sustentavam pelas pernas, aos pés da cama, seu Real Amo. Às 2 horas piorou, e perdeu os sentidos; o Almirante então entrou no quarto, e chorou muito". O Rei não lhe prestou atenção, nem a pessoa alguma das que o cercavam. Desde esta hora até às 4 horas só dizia: perco a minha língua, perco a minha língua; e antes de morrer, esmorecido disse: oi — adeus, todos vocês, estou morto, estou feliz; acabando de dizer estas palavras espirou nos braços de Madame Poki. É impossível descrever a desagradável sensação que este acontecimento causou a toda a família do Rei. Madame Poki, apenas seu amo espirou, foi conduzida a um quarto, em um estado inconsolável, e Ruvees, intérprete do Rei, se conservou no seu quarto. Os Médicos conheceram um aumento da moléstia do Rei desde a lamentada morte de sua consorte; e Segunda feira de tarde, depois que foi depositado o cadáver da Rainha

Lady Byron havia acompanhado seu marido até o Rio, e durante os poucos dias que correram entre a sua chegada e partida para a Inglaterra em outro navio de guerra, gozei da companhia e da conversa de uma dama inglesa e, além disso não fui pouco recompensada por ter a possibilidade de mostrar-lhe muita coisa do belíssimo espetáculo das vizinhanças com que, em minha prática de varar as matas à cata de plantas, me havia tornado familiar.

Não devo esquecer uma excursão que fiz a uma bela fazenda chamada *Macacú*. Minha amiga Sra. Lisboa havia muito tempo se comprometera a pagar uma visita a sua irmã, proprietária da fazenda, e como eu vira muito pouco da vida do campo no Brasil, convidaram-me gentilmente a ir com eles. Em consequência, partimos uma bela manhã num grande barco. O Sr. e a Sra. Lisboa, o filho mais velho e sua filha, poucos escravos servindo de mucamas e criados, e eu, compúnhamos o grupo. Atravessamos a Baía e passamos por um belo grupo de ilhas, onde havia bancos de ostras, e, deixando a vila de Nossa Senhora da Luz à direita, entramos por um dos numerosos rios que desembocam na Baía. Não avançáramos muitas milhas, quando tivemos de deixar nosso grande barco marítimo e tomar uma canoa. Pela primeira vez encontrei-me numa dessas primitivas embarcações. Tomou-nos a nós todos, com a nossa bagagem, além de muitas coisas que foram embarcadas para uso da família que íamos visitar, e não podia mais ter dúvidas em acreditar no que assegurava o proprietário: que ele podia hospedar facilmente um grupo de quarenta pessoas, com a respectiva bagagem. Contudo, a canoa se compunha de um único tronco de uma única árvore de Bombax, ou espécie de algodão sedoso. Para encurtar nossa viagem, num lugar em que o rio fazia curva considerável, nosso hospedeiro esperava-nos com cavalos e chegamos ao fim de nossa jornada, através das matas, na escuridão, dirigidos por ele. Fomos saudados e

---

na Igreja de S. Martinho, fez grandes perguntas aos seus fâmulos se a tinham visto depositar pacificamente, respondendo-se lhe afirmativamente, disse que estava satisfeito, e que esperava em breve fazer-lhe companhia. O Rei imediatamente depois da morte da Rainha, pediu que, no caso de ter a mesma sorte de sua mulher, queria ser conduzido com ela o mais breve possível para os seus domínios. Os Médicos declararam que o Rei havia falecido de uma inflamação de intestinos. O corpo ficará em estado da mesma forma que ficou o da Rainha. Madame Poki continua a passar mal, e toda a comitiva está incomodada. O mesmo Diário inseriu mais o seguinte: "Julho 24. O Governo tem dado todas as necessárias ordens para que se preste todo o respeito aos cadáveres do Rei, e da Rainha de Sandwich, na sua condução para Owyhee, para cujo fim está nomeada a Fragata *Blonde*, comandada por Lord Byron, a qual deverá receber os caixões com os cadáveres, e toda a comitiva, para os conduzir à ilha". (E)

92. Vide: *Viagem do Blonde às Ilhas Sandwich*, de que Lord Byron me fez a honra de ser editora. (A.) *Voyage of H.M.S. Blonde to the Sandwich Islands in the years 1824-1825*, with na Introduction by Maria Graham. Londres, 1827. in-4. (E)

recebidos com a maior hospitalidade, pela sua senhora, que ficara um tanto alarmada com o adiantado da hora. Na manhã seguinte, de acordo com o meu costume, estava de pé fora de casa antes de qualquer pessoa estar se movendo, salvo os escravos. Certo número de pequenos montes, que pareciam de rica argila vermelha, caracterizam as terras baixas entre a Serra dos Órgãos e o Mar. Muitos desses morros estão ainda cobertos de florestas virgens; os vales intermédios foram abertos para cultura do açúcar, tabaco, milho, etc... mas logo que a vasta produção do solo virgem começa a diminuir, a terra é abandonada e, numa só estação, se torna completamente coberta de arbustos selvagens e pequenas árvores, de modo que até agora a capitania de Campos apresenta um espetáculo de permanentes inícios, sem nenhum progresso visível em agricultura. Uma grande variedade de gado é criada na Província, mas os melhores cavalos são os da Serra dos Órgãos ou das terras mais altas e frias, perto de S.Paulo, para o Sul. Nada pode ser mais agradável do que a colocação da casa de nosso amigo; fica sobre um dos pequenos montes de que falei, não tão alto que fique exposta durante a estação chuvosa, mas o bastante para não ser incomodada pelo pequeno rio que banha esta parte do vale, quando as enxurradas descem. Num monte um pouco mais alto, fica o engenho do açúcar, e, espalhando-se em torno dele, as habitações dos escravos, que ficando assim tão imediatamente sob as vistas do senhor e senhora, são provavelmente melhor protegidos e suportam menos durezas que a maior parte de seus irmãos. Era geralmente costume da família que visitávamos passar um instante todas as tardes pela casa do açúcar, durante o tempo da fervura. Nosso grupo, naturalmente, se juntou a ela, e devo dizer que a nossa entrada foi saudada pelos negros com grande alegria. A senhora chamava vários pelo nome; perguntava às mulheres pelos filhos, etc, repreendia, elogiava, ou premiava-os de acordo com a informação do feitor. Pareceu-me que um dos maiores castigos, para as mulheres, pelo menos, era não ter permissão de falar à Senhora!

Quando nós estrangeiros já havíamos visto o bastante da fabricação do açúcar, como desejávamos, um dos negros avançou com um ar quase de *petit-maitre* e ofereceu-nos um grande copo de caldo de cana fresco e não ficou mal pago com os elogios que lhe fizemos, especialmente os feitos pela inglesa que nunca havia provado esta bebida antes.

Vi que os panelões de açúcar se mantêm fervendo dia e noite, e que turmas de revezamento de negros se conservam no trabalho, como numa tripulação de navio, ficando alerta durante toda a estação da cana. Esse está muito longe de ser o tempo mais insalubre; o caldo de cana fresco é o complemento mais saudável à alimentação ordinária deles e é certo que nunca ficam gordos nem se queixam tão pouco como nesta estação do ano, ainda que a média de horas de trabalho para cada escravo seja de dezoito. Mas, para voltar ao passeio matutino — Logo que saí, uma neblina rala e branca enchia todos os pequenos vales; os cumes fantásticos da Serra dos Órgãos, já brilhavam com muitas cores ao sol e as ricas e escuras matas entre eles prometiam muitas árvores e arbustos novos para meu álbum de desenhos, se não para a coleção do Dr. Hooker. Mesmo antes de voltar para casa, inventei de recolher um ramo de *Bombax*, inteiramente novo para mim. A árvore pode ser tão grande como um dos nossos grandes olmos, mas é uma dessas árvores decepcionantes a que jamais poderei perdoar, porque ostenta uma grande e brilhante floração cor de fogo, quando não tem uma só folha verde para se gabar, e ainda que cause um belo efeito na floresta à distância, desaponta-nos tristemente quando nos aproximamos e vemos o tronco e galhos castanho-escuros entre as belas flores.

No correr da manhã, tive o prazer de encontrar três espécies de *Lecythis* e ainda algumas das excelentes castanhas que elas produzem e que nunca havia visto nem provado antes. Aubert[93] deu uma descrição de várias espécies deste gênero, mas foi infeliz em não visitar a América do Sul numa época do ano ou em circunstâncias que lhe permitissem atribuir a cada uma o próprio fruto, flor ou folha. Aqui vi pela primeira vez o Palmito[94] ou verdura Palmeira, a mais deliciosa das verduras e comparada com a qual todas as verduras europeias, aspargos, ou qualquer mais delicada, parecem rudes. Já que não fui educada como um Epicuro, preocupada somente com os produtos comestíveis da mata, deixem-me falar das belas e úteis plantas das *Bombax*, cujo envoltório inferior das sementes, ainda que de fio muito curto para tecer, forma um excelente enchimento para travesseiros, e cujos troncos produzem a madeira flutuante, reta e macia para canoas, tais como mencionei acima; das várias espécies de *Lecythis*, das quais se tira a maior parte da madeira branca usada neste país para fins ordinários; das grandes árvores de madeira-rosa; das diferentes madeiras de tinturaria; das árvores de goma e bálsamo, a Cássia, o Tamarindo e as palmeiras

---

93. Aubert de Petir-Thouars. *Flore de iles australes de l'Afrique, Histoire particulière des plantes orchidées, recueillies sur trois terres australes d'Afrique, de l'Ile de France et de Madagascar.* Paris, 1822.(E)

94. A autora escreve Palmetto. (T).

ligadas pelas magníficas trepadeiras, cujos talos retorcidos são tão fortes quanto as cordas da *Cannabis sativa*; da vegetação inferior das Bauínias, das quais uma espécie fornece madeira semelhante ao ébano; um grande número de Mirtos, tendo um deles folhas que são usadas para leques; uma variedade de Eugênia, cujas frutas parecem tão procuradas pelos passarinhos, pelos macacos e por nós mesmos; vários espécies de Marantas, desde a baixa araruta (*arrow-root*) até a magnífica maranta do brejo, com as folhas listadas de verde e rosa. Depois os ramos das árvores são enfeitados por toda parte com as mais lindas parasitas. Há inúmeras variedades de orquídeas, desde a cápsula de semente, de uma das quais se obtém a vanila; todas produzem, na fervura, uma forte cola que é tão usada pelos sapateiros no Brasil, que deu mesmo à planta o nome de Flor de Sapateiro. Além dessas, estão todas as Bromélias e Tilândsias, desde a fracamente pendente como o cabelo de um ancião, por isso chamada "barba de velho", até a maior parasita conhecida, cujas flores e fruto pesam mais que um abacaxi, com que fortemente se parece em tudo, menos no gosto. Não me devo esquecer das folhas curiosamente perfuradas do *Pothos*, gigante que trepa como hera ao tronco das árvores mais altas. Além disso, as margens das florestas são enquadradas com fetos, desde as mais pequenas e delicadas Avencas, ou cabelos de moça (*Adiantum*), até os fetos arborescentes, alguns dos quais tive oportunidade de medir e encontrei alguns acima de quarenta pés de altura, e muito esbeltos. Sempre que um pequeno curso d'água corre pela mata, a variedade e beleza da vegetação aumenta. As margens são propícias a uma espécie de mangue, cuja madeira leve e branca serve não somente para barcos, no Rio, mas é em boa parte usada para uma espécie de *catamaran* (jangada). Encontram-se estas embarcações pela costa, em todo o percurso do Rio a Pernambuco, transportando fardos de algodão, frequentemente, enviadas seja pelo Governo, seja por comerciantes particulares, guiadas pelo remo de dois ou três negros. Além disso, a madeira dessa mesma árvore ou arbusto é empregada para todas as bacias, pias, conchas e tamancos etc., usados por todo o país. A variedade de caniços, canas etc., que são comuns a todos os climas tropicais, é aumentada por outras espécies peculiares a esta parte do Brasil, e mais belas ainda são as folhas que boiam, das várias Ninfáceas, e outras plantas aquáticas, inteiramente novas para mim.

Pode-se supor como apreciei extremamente essa visita à mata, mas, ai de mim, o tempo era muito curto, não podia nem desenhar todas as plantas, que tão avidamente colhia, nem podia espalhá-las para secar com muita esperança de sucesso. O lugar era úmido, os insetos inumeráveis e as crianças curiosas e mexilhonas. Que mais se poderia exigir para impedir a formação de um herbário!

Quanto aos insetos, travei conhecimento com alguns deles em grau maior do que desejaria, pois, passeando perto da casa um dia, desejosa de obter uma nova parasita, pus minha cabeça perto demais do ninho de um moscardo brasileiro. É talvez um pouco maior que o nosso, a parte superior é castanho-escuro e a inferior vermelho-escuro e brilhante. Fui mordida em três lugares na testa. Felizmente, meu cavalo, que não se machucou senão um pouco, partiu a toda velocidade para casa, de modo que ambos recebemos óleo e alho que nos curaram muito depressa. Os parentes mais próximos desses moscardos, quer dizer, as abelhas, abundam nas matas. É corrente entre os fazendeiros, quando descobrem uma colmeia natural, num buraco de árvore, serrar a árvore toda, acima e abaixo dos buracos, e levar para casa a parte habitada. Vi mais de uma dúzia desses troncos, colocados num telheiro, à maneira de nossos apiários, e disseram-me que há um meio de obter mel sem destruir as abelhas, mas não tive oportunidade de ver esse processo. Depois do incômodo da picada da vespa vem o das formigas, especialmente da formiga grande e vermelha, não porque mordam, piquem ou furem, tanto quanto pude observar, mas por efeito do ácido fórmico que derramavam na pele e que era ainda mais grave que segurar urtigas ardentes. Finalmente, o carrapato ordinário, que na Inglaterra só ataca carneiros e cães, é tão comum aqui, que só despindo-se completamente, e lavando-se após um passeio na floresta, pode alguém escapar de encontrar meia dúzia deles com a cabeça enterrada na pele.

Os mosquitos e moscas são muito comuns para serem mencionados. Insetos nocivos demais! Mas quem descobre as glórias da tribo das borboletas! E o esplendor dos besouros e gafanhotos! Os curiosos ninhos das aranhas e as asas macias e penugentas das mariposas que voam sobre os troncos das árvores, e ficam com as asas tão junto à casca para fugir aos inimigos! Depois as matas do Brasil são animadas pelas alegres notas dos vários pássaros e pelas risadas dos pequenos macacos. Os barrancos são enfeitados por numerosos lagartos, esquentando-se ao sol e caçando moscas. Nem me aborreciam os aparecimentos, de vez em quando, de algumas das variegadas cobras que se aninhavam junto às raízes das velhas árvores. Nunca ouvi falar de nenhum mal feito por elas durante todo o tempo em que estive no Brasil.

Tive o prazer, durante essa visita ao interior, de ver trechos de mais de um rio, navegáveis por muitas e muitas milhas terra adentro, e correndo por um solo que, quando for cultivado por uma população conveniente, poderá fornecer o necessário e o supérfluo a milhões de seres humanos; um solo dos mais favoráveis à vida animal e cujas riquezas prometem ser inexauríveis.

Só o café, o açúcar, as mandiocas foram até agora cultivadas. O milho e o *White-bean* podem mesmo agora se desenvolver como segunda lavoura, em qualquer extensão. O anil e o arroz se dariam bem na parte úmida da capitania e, entre os morros mais longínquos, as frutas e a madeira pagariam bem a despesa do transporte para junto do Rio.

As províncias do Norte, realmente, produzem algodão melhor e mais fino; portanto, o cultivo dessa planta poderia ser inútil aqui. Mas os morros baixos e rochosos na parte sul da Baía produzem a planta do chá, sem cultivo e, em tal abundância que fornecem a toda a esquadra brasileira todo o chá para seu consumo e há regiões do planalto paulista bem conformadas para a produção do trigo. A todas essas verdadeiras riquezas o Brasil junta extraordinários tesouros de ouro e diamantes. As outras pedras preciosas também abundam. O ferro e o cobre também existem aqui. As costas do Brasil são proverbialmente seguras e os rios, ainda que não rivalizem com o do extremo Norte, o Maranhão, nem o do Sul, o Prata, são, contudo, profundos e bem navegáveis para todas as finalidades do comércio.

Quando a escravidão se extinguir, assim como seus efeitos, e uma população natural substitua a presente, forçada e de várias cores, este será um país importantíssimo, ainda que, provavelmente, separado em vários estados. Atualmente, apesar de contar mais graus de longitude e latitude que toda a Europa, tenho razões para acreditar que toda a população fique abaixo da das Ilhas Britânicas! Mas basta de observações gerais!

A maneira de viver na casa de campo que estávamos visitando parecia ser um meio termo entre os velhos hábitos brasileiros e o apuro introduzido pela mistura com nações europeias, naturalmente em consequência da migração da Corte de Lisboa. Por exemplo, ao jantar, para satisfazer os que eram verdadeiramente brasileiros, havia pequenas travessas de farinha, ou massa seca de mandioca, ao mesmo tempo que havia pão de trigo para os que preferiam a alimentação europeia, para comer com carne. Um grande prato de cozido com vegetais, ainda aparecia, mas as aves e o peixe, em vez de serem cortados em pedaços para serem pegados com os dedos, já apareciam na devida forma, com um número conveniente de facas, garfos, colheres. Em vez de se ficar em volta de uma mesa alta de pé, já que de outra maneira não poderia ser atingida, as pernas encurtadas de uma mesa bem coberta permitiam que todos se sentassem em cadeiras e bancos. O carneiro é a única espécie de carne que geralmente se pode considerar má no Brasil. A vitela não se encontra senão nas mesas europeias, não porque não seja apreciada, mas por causa de uma antiga lei proibindo a matança de bezerros. As planícies de Campos são famosas para criação de gado. Os porcos são, entre os fazendeiros, a criação mais útil. Aves de todas as espécies são numerosas e boas. A caça selvagem, de todas as espécies, não é rara e, tanto a baía como os rios, produzem peixes excelentes.

Não conheço espetáculo mais belo que o mercado de peixe, de manhã cedo, no Rio. Dir-se-ia que as águas do Brasil disputam com os ares a produção de cores, pois o tucano de peito magnífico e as brilhantes borboletas são escassamente mais vívidos em seus tons que os peixes logo que saem das redes. A estes produtos do reino animal as mesas brasileiras juntam muitas das verduras europeias, bem como as que vieram originariamente da África, raízes nativas e frutos em grande variedade, todos bons e muitos curiosos. A alta sociedade, tanto brasileira como europeia, bebe geralmente vinho do Porto de barril; é de qualidade muito mais leve e agradável do que o importado na Inglaterra. Não estive em nenhum lugar em que não encontrasse cerveja em grande abundância, especialmente *Ale*, importada; está claro, da Grã-Bretanha ou Irlanda. O povo, isto é, os negros livres e mulatos, tem uma forte tendência a beber demais uma espécie de rum chamada *cachaça* [95] feita de refugo da cana. É triste dizer que os marinheiros ingleses e franceses descobriram que ela faz o mesmo efeito que o *rum* ou o *brandy* para se beber. Os brasileiros agora habituam-se a beber chá, como nós, e o servem geralmente no almoço, como o café. Em algumas casas, servem-se juntamente pequenas fatias de queijo branco, com finas fatias de pão, feito de farinha de mandioca, muito parecido com bolo de aveia. Às vezes, em vez destes refrescos nacionais, oferecem-se licores franceses ou holandeses, com doces de várias qualidades.

Mas em breve foi tempo de deixar os nossos hospitaleiros amigos da roça e voltar ao Rio. Infelizmente, o tempo se tornou muito tempestuoso antes que chegássemos à foz do Rio e fomos condenados a passar uma

---

95. A autora escreve *cachass*. (T.).

noite numa espécie de albergue na margem. Era um albergue que nem mesmo D. Quixote poderia tomá-lo por castelo. Forneceu-nos abrigo — é verdade — e, com alguma dificuldade, combustível, mas a alimentação foi fornecida pelas nossas próprias reservas do barco. Quanto a camas, nossas próprias capas sobre os bancos, num quarto comum, tomaram seus lugares. Continuamos nossa viagem o mais cedo possível de manhã e, em vez da nossa canoa estreita, entramos num grande, largo e desgracioso barco da cidade. Era impossível ficar na parte descoberta do barco, por causa da chuva que caía em torrentes, e o abrigo de plantas construído na parte posterior do barco estava tão carregado com fardos de mercadorias de várias espécies que era completamente impossível ficar de pé, exceto bem no centro. A inabilidade dos remadores e a natureza da construção causaram-nos incômodos muito maiores do que outra noite abrigados em nosso barco e não chegamos ao Rio senão no meio dia seguinte, ao fragor de uma violenta tempestade de raios e trovões. Fiquei, realmente, muito satisfeita quando cheguei à casa confortável de Mme. Lisboa e encontrei um bom jantar pronto para ser servido e não foi pequena a minha alegria quando, logo após a refeição, apareceu José e disse que meu cavalo estava pronto, esperando-me para levar-me em casa. Esta foi a última visita mais distante que fiz durante a estadia no Rio, mas ainda fui uma ou duas vezes até a Tijuca, para ver meus amigos franceses ou ingleses. Perto da mais baixa cachoeira da Tijuca[96], num vale dos mais pitorescos, fica a casa de campo pertencente aos Senhores Taunay, filhos de um artista francês, cujo nome não é desconhecido na Europa, e igualmente respeitáveis como poetas, pintores e negociantes[97]. É um prazer ver a forte afeição de uns

---

96. A autora escreve *Tijuco* e *Tejuco*. — (T.).

97. Os Taunay, que na época moravam na Tijuca, seriam: Augusto Maria Taunay, escultor de fama, um dos fundadores da Academia de Belas Artes, primeiro prêmio de Roma, nascido em 1768 e falecido na Tijuca, a 24 de abril de 1824; seu sobrinho Felix-Emílio, barão de Taunay, nascido em Montmorency, a 10 de março de 1795 e falecido no Rio de Janeiro, a 10 de abril de 1881, pintor notável, diretor da Academia de Belas Artes de 1834 a 1851, professor de D..Pedro II, e grande propugnador dos melhoramentos materiais do Rio, e principalmente da Tijuca; o major Carlos-Augusto Taunay, condecorado pela mão de Napoleão I na batalha de Leipzig, combatente da guerra de Independência do Brasil, escritor e jornalista, fundador do *Messager du Brésil* e um dos principais colaboradores do *Jornal do Comércio*, nascido em 1791 e falecido em França, a 22 de outubro de 1867; Teodoro-Maria Taunay, cônsul da França no Brasil por mais de quarenta anos, poeta, autor dos belos versos latinos dos "Idílios Brasileiros", traduzidos em francês por seu irmão Félix Emílio, nascido em 1797 e falecido em 22 de março no Rio de Janeiro; Hipólito Taunay (1793-1864), poeta, tradutor de *Jerusalém Libertada*, de Torquato Tasso, e escreveu, de colaboração com Ferdinand Denis, *Le Brésil*, ou *Histoire, moeurs e usages et coutumes dês habitans de ce Royanme*, Paris, 1822, 6 vols., in-8. Conf. Visconde de Taunay. Estrangeiros ilustres e prestimosos no Brasil (1800-1892), e D. Weiszflog, ps 10/11. O atual representante dessa admirável família é o dr. Afonso d'Escragnolle Taunay, diretor do Museu Paulista, professor da Universidade de São Paulo, membro da Academia Brasileira de Letras, sócio benemérito do Instituto Histórico e historiador número um do Brasil. — (E.).

pelos outros, compensando a falta de mais parentes e da pátria, no meio da selvageria. Mais acima na montanha, o cônsul francês tem uma grande fazenda, administrada principalmente por uma sua tia, que pôs seus negros num excelente estado de disciplina com a assistência do Padre[98]. Nessa fazenda fez-se uma experiência muito promissora de extrair um espírito, muito semelhante ao *Kirsch-wasser* suíço, da baga polpuda que envolve os grãos do café e, pelo que parece, ao menos, sem estragar o grão. Os outros plantadores de café, contudo, insistem em que isso rouba ao grão um tanto da melhor parte de sua substância

98. Era o sítio da Boa-Vista, ou da Cascata-Grande, no Alto da Tijuca, que então pertencia ao cônsul geral da França, conde de Gestas, e a sua tia Mme. de Roquefeuil.

Aymar-Maria-Jacques, conde de Gestas (1786-1837), era realista emigrado em Portugal, de onde passou ao Brasil cerca de 1810. Sua tia e um irmão, o Visconde de Roquefeuil, vieram no tempo da instalação da corte portuguesa no Rio de Janeiro; o Visconde, que era coronel agregado ao Estado-maior da Corte, morreu na Bahia, em 3 de janeiro de 1809, aos 49 anos de idade, e foi sepultado na Sé.

A propriedade da Tijuca foi adquirida pela família logo que chegou; aí fez o conde plantação de café, e se esforçou por aclimatar árvores frutíferas vindas de França, videiras, macieiras, pereiras e outras, que trocava por sementes de plantas indígenas, de frutos e flores. Havia adquirido também a Ilha do Viana, na baía do Rio de Janeiro, onde instalou estaleiro e oficinas, em que empregava de trinta a quarenta escravos, que possuía.

Em 1820 Luís XVIII resolveu enviar uma embaixada ao Brasil, e nomeou, em 11 de outubro, embaixador o barão Hyde de Neuville. O conde de Gestas, residente no país, foi escolhido para primeiro-secretário. Hyde de Neuville deixou Paris em 29 de outubro; a 14 de novembro embarcou em Rochefort no navio *Tarn*, mas a 25, tendo a embarcação sofrido temporal, entrava em Brest; tornava a partir a 14 de dezembro, para aportar em 9 de fevereiro de 1821 a Hampton-RoaD. Depois disso, parece, Hyde de Neuville desistiu de vir ao Brasil, onde não encontraria mais D.João VI, em cuja corte, em Lisboa, exerceu depois suas funções de embaixador.

O primeiro-secretário havia alugado um imóvel para alojar a embaixada em uma das melhores ruas do Rio, e gastou nos preparativos avultada importância, de que só mais tarde conseguiu ser reembolsado. Em 1822, o conde de Gestas voltava a França, depois de doze anos de ausência; ao chegar ali era surpreendido com sua nomeação para encarregado de Negócios e cônsul geral interino no Rio de Janeiro, na vaga do velho coronel Maler, que havia pedido e alcançado sua aposentadoria. A carta do ministro dos Estrangeiros, Visconde de Montmorency, participando-lhe a nomeação, cruzou com o destinatário em viagem; e quando ele chegou a Paris, o ministro havia sido substituído por Chateaubriand.

Em Paris, o cônsul geral foi diversas vezes recebido pelo novo ministro, interessado em desenvolver as relações políticas e comerciais entre França e Brasil. Por Luiz XVIII, em audiência especial, foi recebido em 22 de outubro de 1822, para fazer entrega de uma carta autógrafa do príncipe regente, a quem o rei, satisfeito e grato, decidiu enviar o cordão de suas Ordens. Chateaubriand encarregou o cônsul de remetê-las a D.Pedro, cuja proclamação como Imperador acabava de ser conhecida em Paris. A esse tempo era o conde de Gestas nomeado titular do Consulado Geral da França, em caráter efetivo

Mme. De Chateaubriand teve então a ideia de casar o conde com Mme. Alexandrine-Françoise du Plessis de Parscau, sua sobrinha, filha de uma sua irmã. O consórcio foi celebrado em Brest, no dia 12 de maio de 1823. Em 8 de junho, Luis XVIII recebeu o casal em audiência, nas Tulherias, e dignou-se de assinar o contrato matrimonial, o que também fizeram o duque e a duquesa de Berry. Em Brest, a 28 de agosto, embarcavam o conde e a condessa para o Brasil, na fragata La Circé, comandada por um tio da condessa, o cavaleiro Pierre du Plessis de Parscau.

e que o sumo da polpa, quando seca da maneira ordinária, é absorvido pelo grão. Ainda que tivesse feito várias indagações, não fiquei habilitada a saber se a experiência foi feita com sucesso ou não.

Fiz uma outra visita a uma fazenda inglesa mais acima na montanha, no alto da cachoeira grande. Tenho tristeza em dizer que o administrador dessa fazenda, que pertencia a um menor, se havia valido de uma prerrogativa que, neste caso, pelo menos, não devia ser permitida: o da isenção da propriedade britânica da ação da lei colonial portuguesa. Em

Nas *"Notícias Marítimas"*, do *Diário do Governo*, de 14 de novembro de 1823, lê-se: *"Entradas* — dia 13 do corrente — Brest por Rochefort, 63dias. F. francesa La Circé. Com. o Cavaleiro Duplessis, passageiros o Consul Francês para esta Corte, Mr.Gestas com sua Família e mais quatro Franceses; esta Fragata segue para Bourbon".

O conde e a condessa foram residir na Tijuca, com a tia Mme. De Roquefeuil. O Consulado foi instalado à Rua dos Barbonos, n° 22, onde até o ano de 1827 figura no *Almanaque da Cidade do Rio de Janeiro*.

A habitação da Tijuca era próspera, como descreve Maria Graham. Mlle. De Roquefeuil era amiga da Imperatriz D. Leopoldina, que lhe frequentava a casa, ora sozinha, ora em companhia do Imperador, em seus passeios pelas florestas. Do primeiro filho do casal Gestas, nascido em 17 de abril de 1824, Pedro Marie-Aymar, foram padrinhos os imperantes, explicado assim o seu primeiro prenome.

O conde de Gestas exerceu suas funções consulares até o advento em França da Revolução de 1830; fiel aos seus princípios políticos, deu sua demissão pelo primeiro correio, indicando para substituí-lo Teodoro-Maria Taunay, seu amigo e vizinho na Tijuca. Desembaraçado dos encargos oficiais, o conde dedicou-se à exploração de seus domínios e às sociedades beneficentes, que presidia. Em 1835, a 27 de setembro, morria Mme. de Roquefeuil; logo depois o sítio da Boa Vista era vendido.

Em janeiro de 1837, o conde de Gestas recebeu na ilha de Viana a visita do príncipe Luis Napoleão Bonaparte, que depois da fracassada rebelião de Strasburgo, viajava deportado para os Estados Unidos a bordo da fragata francesa *L'Andromède*, comandada pelo capitão de mar e guerra Henry Villeneuve de Bergemont. O futuro Napoleão III foi autorizado a passear de barco e sem escolta pela baía. O antigo cônsul acolheu-o na ilha com perfeita urbanidade, e acompanhou-o depois para borda da fragata, com o príncipe no leme do barco. *L'Andromède* entrou no porto do Rio no dia 10 de janeiro e saiu para Nova York em 1° de fevereiro de 1837.

O conde de Gestas morreu desastradamente na noite de 28 de julho daquele ano, aos 56 anos de idade. O Jornal do Comércio, de 31, assim noticiou sua morte:

"É com pesar que temos de anunciar aos nossos leitores a desastrosa morte do Sr. Conde de Gestas. Na sexta-feira à noite, achava-se ele na Baia perto da ilha do Vianna que habitava, quando rebentou um terrível furacão. A frágil embarcação em que ia o Conde soçobrou, e na manhã seguinte apareceu seu cadáver entre os rochedos, não longe do lugar em que morava.

"Podemos afirmar que a morte do Sr. Conde de Gestas e geralmente sentida. Tinha por largo tempo exercido aqui com honra e zelo o cargo de Consul geral e encarregado de Negócios da França; era um dos mais ativos membros de algumas sociedades desta corte, e trabalhava com afinco para a prosperidade material do Brasil".

A ata da sessão ordinária da Sociedade Francesa de Beneficência, realizada em 10 de agosto, assinada por Th.Pesneau, E.Plum, Th.Taunay, dr. Senéchal, Gouthière, Frédéric, Richaud e A.Lechériey, reproduz mais ou menos a notícia do *Jornal do Comércio*, com a referência a mais das exéquias, que foram realizadas no dia 30 de julho, na igreja de São Francisco de Paula. Uma cópia dessa ata foi enviada à condessa de Gestas, ausente na França desde alguns anos.

— Conf. André Gain, *De la Lorraine au Brésil*, Nancy, Société d'Impressions Typographiques, 1930 — de largo interesse para a história diplomática e política do Brasil, antes, durante e depois do reinado de D. Pedro I. — (E.)

consequência, os negros desta Fazenda não eram batizados, de modo que o administrador podia considerar nulos os casamentos, vender o pai e a mãe separados dos filhos, o marido da mulher, e assim por diante. Não pude senão enrubescer pelo meu compatriota!

A altura da Tijuca é tal que muitas pessoas possuem vilas nas montanhas para passar o verão. Nas fazendas francesas não é raro encontrar manteiga fresca de consistência razoável e morangos que começam a ser abundantes. Encontrei a aroeira silvestre carregada de amoras numa altura de cerca de 1.500 pés acima do nível do mar; era agradável, ainda que es- tranho, vê-la crescer entre as acácias e as melastomáceas! Uma das árvores mais interessantes pertencentes às matas do Rio é a árvore do alho, cujo nome botânico me é desconhecido; cresce até uma altura muito grande e, à distância tem a aparência de um enorme olmo, mas ao nos aproximarmos verifica-se que as folhas são brilhantes, macias e em forma de coração. Toda a árvore, após uma pancada d'água recente, cheira a alho fresco. A casca é a parte mais picante da árvore e é usada para temperar pratos, em vez da raiz do alho. Além disso, os negros a consideram um filtro poderoso, e frequentemente roubam cuidadosamente um pedaço da madeira quando, em qualquer ocasião, o patrão ou feitor ficam zangados, esperando introduzi-lo sorrateiramente em algum prato da mesa deles. Estão certos de que isto fará com que o chefe goste deles de novo. Esta noção, os negros sem dúvida trouxeram da África, onde a casca do *Baobab* ou grande *Calabash*, que também tem cheiro de alho, é usada para o mesmo fim supersticioso.

Sempre gostei de ver as festividades da Igreja celebradas nas casas de campo brasileiras, pois nesses dias os escravos também têm feriado, e, parecendo tão alegres quanto os senhores e senhoras, dançam, cantam e comem doces desmedidamente.

O festival mais alegre em que estive foi a véspera de S. João não longe de minha casa de campo, no vale das Laranjeiras. Os escravos pertencentes a duas ou três propriedades estavam reunidos e tinham trazido com eles todos os ruidosos instrumentos brasileiros com que dançavam e cantavam no espaço fronteiro à porta de entrada, enquanto o senhor e a senhora bebiam chá, comiam doces e tagarelavam do lado de dentro. Finalmente, alguns minutos antes de meia-noite, abriram-se as portas da capela; executou-se um ofício muito bonito, regido por Portugal[99] em pessoa, ficando os senhores dentro da capela e todos os escravos sobre os joelhos, do lado de fora, formando um interessantíssimo espetáculo. Logo que o ofício terminou, passamos ao terreiro e aí achamos uma nova e magnífica palmeira há pouco trazida da floresta, sustentada por cordas e cercada por uma imensa quantidade de madeira seca; apenas a companhia se sentou e, a um sinal dado, o feitor pôs fogo a uma cadeia de foguetes, e depois deles nos terem deliciado por algum tempo, o último parecia voltar-se para a árvore, e quase todas as folhas desta brilhavam com cores azul, vermelho e amarelo. A madeira seca ao pé da árvore foi depois incendiada, e à medida que a fogueira queimava, foguetes, serpentões, rodinhas e flores pareciam dardejar dela. Afinal, a árvore veio abaixo com grande estampido e todos nós passamos a uma ceia esplêndida. De modo que pela primeira vez, e quase a última, de minha estadia no Brasil, não voltei à casa senão pela manhã. Mas a minha estada no Brasil chegava ao fim.[100]

Sir Charles Stuart chegou[101]. Alguns pensavam que ele vinha como embaixador da Inglaterra, e muito poucos adivinharam que ele havia atravessado o Atlântico como Ministro de Dom João VI. Alguns afirmavam que ele havia vindo somente para firmar um tratado comercial e outros que a sua visita se relacionava somente com o tráfico de escravos, e quando o seu verdadeiro caráter se tornou conhecido, eu realmente acredito que o maior número de ministros brasileiros ficou tão surpreso como qualquer estrangeiro no Rio.

Estou certa de que Sir Charles e seus secretários não hão de ter ficado pouco espantados com a mentalidade e a ignorância de, pelo menos, metade do Conselho Privado de Sua Majestade[102]. Ao mesmo tempo, penso eu,

---

99. Marcos Antônio Portugal (1762-1830), famoso músico português. — (E.)
100. Só aqui deixa o texto de estar riscado pela autora. (T)
101. Sir Charles Stuart chegou ao Rio de Janeiro no dia 17 de julho de1825, pela nau inglesa *Wellesley*, comandante capitão de Mar e Guerra Hamond, vinda de Lisboa pela Madeira e Tenerife, com 56 dias de viagem. Trazia 17 pessoas de sua família, seis secretários e conselheiros, e 10 criados. "*Notícias Marítimas*", do *Diário Fluminense*, de 19 de julho, Entradas do dia 17. No mesmo Diário, de 18 de maio, lê-se: "Nas Gazetas Inglesas encontramos a seguinte lista das pessoas que acompanham Sir Charles Stuart na sua Embaixada a esta Corte: Secretário. Lord Marcos Hill; Addidos, Coronel Tremantle, Major Gurword; Médico, Dr. Ridgwai; Boticario, Mr.Warnell".

Sir Charles Stuart desembarcou no Campo de São Cristóvão, por lhe ficar mais perto a casa que ia habitar, de José Agostinho Barbosa, no Rio Comprido, mandada preparar pelo governo para sua aposentadoria. Quando saltava em terra teve ocasião de encontrar-se com o Imperador, que se recolhia ao Paço da Boa Vista. (E)

102. Para tratar com Sir Charles Stuart, o Imperador nomeou o seu conselheiro de Estado, ministro e secretário de Estado dos Negócios Estrangeiros, Luiz José de Carvalho e Melo, designando em seguida Francisco Vilela Barbosa e o barão de Santo Amaro, seus conselheiros de Estado, para coadjuvarem com o ministro dos Negócios Estrangeiros — *Diário Fluminense*, de 27 a 29 de julho de 1825. Em 29 de agosto, foram assinados o Tratado de Paz, Amizade e Aliança entre Portugal e o Brasil, reconhecido o Brasil na qualidade de Império Independente, e a convenção adicional ao mesmo tratado, ratificados pelo Brasil em 30 do mesmo mês e por Portugal em carta de lei de 15 de novembro, pela qual D. João VI mandava publicar e cumprir a ratificação, tendo os termos dessa carta dado motivo a que, em fevereiro de 1826, o ministro dos Negócios Estrangeiros do Brasil, em nota ao plenipotenciário Sir Charles Stuart, declarasse que aquele "documento era uma violação aos ajustes feitos". — (E.)

deve se ter impressionado com a sagacidade natural e o bom-senso de Dom Pedro, que, com todas as desvantagens da falta de educação e da sua posição, havia aprendido por si, possuindo uma verdadeira e clara visão dos reais interesses do país. Nunca poderia perdoar Sir Charles uma coisa: seguindo, como suponho, o costume das cortes europeias, cedo começou a dar grande atenção a Madame de Castro e não posso deixar de atribuir à sua atenção neste setor o reconhecimento público como amante e a consequente mágoa nos insultos feitos à Imperatriz.

O primeiro e quase o mais penoso destes ocorreu no aniversário de D. Maria da Glória. Nestes dias, é comum começar o dia deferindo petições e conferindo favores ou, como são chamados: graças. Nesta ocasião, toda a corte, mesmo grosseira como era, caiu em consternação pela primeira graça. Madame de Castro foi nomeada *Camareira-Mor*, isto é, Primeira Dama da Imperatriz! E, portanto, conferia-se lhe o direito de estar presente a todas as reuniões e acompanhar a Imperatriz a todas as excursões; assumir o lugar de honra logo após Sua Majestade em todas as ocasiões públicas, fosse em festividades da Igreja, fosse no teatro; em resumo, de infligir à Imperatriz o mais odioso dos incômodos, isto é, sua presença — desde o momento em que saía de seus apartamentos privados. Na primeira explosão de indignação geral, várias das primeiras damas recusaram visitar a favorita, mas em breve fizeram-lhe compreender que a teimosia não resultaria em nenhum bem à Imperatriz, mas, com maior probabilidade, arruinar-lhes-ia as famílias. Antes pelo contrário, sei que o preço exigido pelo perdão de uma Casa foi o sacrifício de uma linda carruagem nova, havia pouco importada de Londres, e que se destinou à cocheira *dela*.

Tanto quanto isso me tocava pessoalmente, tinha que me rejubilar com a chegada de Sir Charles Stuart. Sua cortesia constante e atenciosa tornou minha situação muito mais agradável do que havia sido até aqui, e se eu tivesse algo de que me queixar quanto à falta de conveniente civilidade de meus compatriotas, homens e mulheres, antes de sua chegada, estaria compensada, porque eles ficaram então por diante prontos para me mostrar toda a espécie de atenções. Mas o maior benefício que Sir Charles me fez foi oferecer-me a possibilidade de voltar à Inglaterra. Meus contratempos haviam sido tão frequentes e tão constantes que, se eu pudesse imaginar que havia algum motivo para me deterem no Brasil, acreditaria que eles não poderiam ser todos acidentais. Desta vez, porém, solicitei de Sir Charles Stuart que se interessasse junto ao Almirante inglês por uma passagem em um navio inglês, e também junto aos ministros brasileiros, para que me concedessem os necessários passaportes;[103] de modo que se marcou finalmente minha volta para casa, no *Sibillia*, navio britânico de carga. Tinha agora somente de me despedir de meus bons amigos, tanto de terra como de mar. Fiquei realmente triste de deixar meus gentis amigos brasileiros, com muitos dos quais ainda mantenho uma correspondência amigável; quanto aos ingleses, com uma ou duas exceções, não mereciam nem tiveram muito de minhas saudades. Havia duas pessoas no Rio, cuja separação me custou muito, sentindo, como sentia, que havia muita pouca probabilidade de vê-las de novo. Não é preciso dizer que a primeira pessoa era a Imperatriz; a outra era o bom Barão austríaco M.[104] Fiz uma visita de despedida à Boa Vista. Encontrei sua Majestade em sua biblioteca, inteiramente só, e pareceu-me fraca de saúde, e com maior depressão de ânimo do que de costume. Deu-me várias cartas para levar à Europa. Pediu-me especial carinho para uma que havia escrito à sua irmã, a Ex-Imperatriz Maria Luiza. Eu sabia que um maior grau de amizade subsistia entre as duas irmãs do que entre quaisquer membros da família, ainda que ela falasse com grande consideração de seu tio, o Arquiduque João. Incumbiu-me de, indo a Viena, procurar também a este e falar-lhe a respeito dela. Nem pensávamos nessa época que sua vida findaria antes de eu ter uma oportunidade de ver a capital de seu país e, quando eu a visitasse, o Arquiduque João estivesse numa espécie de exílio na Síria, porque não aprovava a política de Metternich!

Após a Imperatriz ter falado de sua própria família e de seus desejos em relação à Europa, nossas palavras foram muito poucas. Prometi escrever-lhe e, por seu próprio pedido, contar-lhe tudo que pudesse saber sobre as pessoas de sua própria família. Ela me disse que os próprios "diz-se" de sociedade seriam agradáveis para ela, isolada, como estava, de qualquer comunicação com a Europa. Prometeu responder as cartas e então perguntou-me se eu queria alguma coisa que Ela pudesse fazer por mim ou dar-me. Pedi-lhe uma mecha de seus cabelos e como não houvesse tesouras ao alcance, não quis chamar um criado. Tomou um canivete que estava sobre a mesa e cortou uma. Mas é inútil pensar nesses momentos dolorosos. Saí

---

103. O trecho que se segue até novo sinal está riscado no original. (T)
104. Mareschal. (T)

com um sentimento de opressão, quase novo para mim, pois deixava-a como previ, para uma vida de vexações maiores que tudo que ela havia sofrido até então, e num estado de saúde pouco propício para suportar um peso adicional. Na tarde desse mesmo dia, recebi dela o seguinte bilhete:
"Minha querida e delicada amiga!

Não posso furtar-me ao prazer de vos afirmar ainda toda a minha amizade, rogando-vos contar que estimaria dar-vos sempre provas de quanto vos quero e estimo. Tende a bondade, chegando à nossa querida e adorada Europa, de fazer chegar a carta junto à minha bem-amada irmã. Quanto aos livros, fio-me em vossa escolha, sabendo melhor apreciar-lhes o mérito, sendo sábia. Se virdes o digno Cary[105,] rogo-vos encomendar em meu nome uma *balança* mineralógica para saber o peso das pedras preciosas.

Assegurando-vos minha inalterável amizade sou

Vossa afeiçoada
              LEOPOLDINA

São Cristóvão, 8 de setembro de 1825.

P.S. — Dos cabelos de minhas filhas mandei fazer uma pequena medalha, que remeterei, quando estiver pronta, para a Inglaterra."[106]

E este dia, 8 de setembro de 1825, foi o último em que vi Maria Leopoldina.

Entrementes as negociações entre Sir Charles Stuart como Ministro de Portugal progrediram com sucesso. O pequeno barco em que eu devia partir tinha ordem de levantar âncora no momento em que chegassem a bordo os despachos anunciando a terminação favorável das disputas entre metrópole e a colônia.

É curioso que o primeiro dia em que voguei nas costas do Brasil, em 1821, tenha sido aquele em que se deu o primeiro tiro dos independentes contra as tropas reais de Pernambuco, e que, finalmente, deixasse o porto do Rio no mesmo dia em que a proclamação da dissolução completa entre Brasil e Portugal foi lida em todas as praças públicas e as salvas ainda se disparavam para celebrar a independência final do País... Setembro de 1825.*

---

105. O fabricante de instrumentos matemáticos. — (A.)
106.. Nunca a recebi. (A.)
*.V. carta de Stuart pg. 41
V. carta de Gordon pg. 42

As bases em que se fundavam estes tratados entre o Brasil e a metrópole, e os termos aceitos de cada lado, não preciso mencionar, já que pertencem à história. O efeito imediato de se pôr fim à guerra foi a liberdade dos oficiais, tanto ingleses como franceses, do Exército e da Marinha. Muitos deles reingressaram no serviço de Dom Pedro e se empenharam em sua guerra de fronteira, contra a República Argentina, pela posse da Banda Oriental. Entre outros, meu amigo Capitão Grenfell, que teve a infelicidade de perder seu braço nesta insignificante campanha. Lord Cochrane, vendo que os intentos pelos quais havia pegado em armas na América do Sul, isto é, a libertação das colônias da pressão das metrópoles, estavam atingidos, resolveu deixar o serviço completamente, já que tanto nas colônias espanholas como portuguesas ele havia sempre protestado não entrar em qualquer de suas recíprocas contendas. Deixou, portanto, a Esquadra de navios de guerra guardando a costa e, transportando para o Rio as presas de dinheiro ou o que fosse valioso tomado durante a guerra de então, sem querer se expor, a uma desagradável possibilidade de alterações com o ministério brasileiro, embarcou diretamente para a Inglaterra, numa das fragatas imperiais, em cujo bordo içou seu pavilhão de almirante. De modo que as primeiras salvas disparadas em honra da bandeira imperial brasileira o foram pela sua chegada a Portsmouth, pelo fim de outubro de 1825[107]. Não tendo chegado ao Rio nenhuma notícia de suas atitudes antes

---

107. O *Diário Fluminense*, de 24 de novembro de 1825, publicou sob o título "*Notícias Estrangeiras*", o seguinte artigo:

"Recebemos folhas inglesas pelo Paquete, entrado neste porto no dia 20 do corrente, vindo de Falmouth, e daremos a nossos leitores os artigos que nelas encontrarmos de algum interesse; também vimos o Padre Amaro de Agosto, e nele encontramos o seguinte artigo, do qual consta já não ser duvidosa a retirada de Lord Cochrane do serviço do Império. — 'uma semana inteira estiveram especulando as folhas publicadas de Londres, e os *Stock jobbers*, sobre uma expedição de Lord Cochrane à Grécia. E como não era possível que, *insalutato hospite*, assim desertasse do serviço do Brasil aquele que, havia poucos dias, tinha sido saudado nos Portos da Grã-Bretanha como Almirante brasileiro, sempre suporemos que as folhas públicas estavam mal informadas, e que aqueles boatos eram, como outros muitos, destituídos de fundamento, e de senso comum. Hoje, porém, já não há senão uma voz, e uma opinião a este respeito, depois que o Nobre Lord, ou porque lhe pedirão explicações, ou porque se quis ele mesmo explicar, declarou que se havia ajustado com os Deputados Gregos a entrar no serviço da Grécia.

"As condições diz-se que são, pondo à disposição de S.Ex certa quantidade de dinheiro (trezentas mil libras, mais de três milhões de cruzados), tendo ele a direção da Força Naval a seu livre arbítrio, sem sujeição a ninguém. Quanto a ordenados, recompensas, indenizações, etc, diz-se que S.Ex. deixará tudo isso ao arbítrio do Comitê Grego, lembrando-lhe, ao mesmo tempo, que aceitando o serviço ou o comando da Grécia, S.Ex. deixava no Brasil, sem falar do casual, hum ordenado de seis mil libras por ano, e a metade desta soma quando convenientemente se retirasse do serviço, com sobrevivência em sua mulher". — (E.)

da minha partida, não fiquei pouco surpreendida quando o Capitão She-pherd abordou a *Sibillia* e contou-me que havia trazido à Pátria Lord Cochrane, na *Piranga*, e que Sua Excelência havia ido para Londres e parecia muito inclinado a entrar a serviço da Grécia e que, ele próprio, aguardava somente completar seu carregamento de madeira e de água para voltar ao Rio. Pediu-me que lhe desse uma carta para a Imperatriz, já que previa que, com todas as probabilidades, sua proteção poderia ser-lhe útil, senão necessária, após uma viagem de que o menos que se poderia dizer seria que fora inesperada para o Imperador. De acordo com isso escrevi-lhe com muita instância em seu favor, e ainda ao meu amigo o Barão Mareschal, de quem recebi no primeiro paquete uma carta de que extraio a seguinte passagem:

"Vossos desejos com referência ao Capitão Shepherd e os (outros) oficiais (ingleses) da *Piranga* (seus recomendados) foram atendidos. O Sr. Shepherd foi confirmado no comando da Fragata. Quanto a Lord Cochrane, seu nome é aqui tão falado quanto se ele jamais houvesse existido. Prova, ao menos, de que não lhe guardam "ressentimentos".*

O resto desta carta continha algumas notícias que me fizeram muito ansiosa sobre a Imperatriz. Ela, com o Imperador e as Princesinhas, havia embarcado para a Bahia; viagem com a qual penso que a Imperatriz concordou, ainda que passasse mal no mar, na esperança de escapar da vista da Domitila de Castro, então elevada a Viscondessa de Santos. Qual não teria sido o seu desapontamento ao entrar em seu camarote, em ver Mme de Santos já ali estabelecida, além do mais, nas funções de seu ofício. Antes de embarcar para essa viagem, a Imperatriz achou tempo para me escrever uma nota que o Barão capeou em sua carta. Não posso impedir-me de copiá-la aqui:

"Minha queridíssima amiga!

Fui muito agradavelmente surpreendida quando o nosso excelente amigo o Barão de Mareschal me entregou duas amáveis cartas vossas. É o único consolo que me resta no isolamento. Crede-me, minha dedicada e digna amiga, que sinto vivamente o sacrifício que impus ao meu coração, que sabe apreciar as doçuras da amizade, separando-me de vós. É um verdadeiro consolo para minh'alma e me faz suportar mil dificuldades que se me opõem, saber que tenho tantas pessoas que se interessam pela minha sorte.

---

*. A carta está na íntegra à página 44.

Estou à vontade para poder vos certificar que o bom Shepherd está empregado no mesmo posto em que o Marquês[108] o enviou. Minha cara amiga, ficai persuadida de que desejo encontrar ocasiões para dar-vos provas de minha amizade e sincera estima.

O *Macaco do Brasil*, representado em Paris, parece-me provar a leviandade do caráter da nação francesa, que dá tanta importância a tais ninharias.

A lista de conchas que vos remeti é para que os professores verifiquem quais as que possuo e para vos poupar o incômodo de vô-las enviar a segunda vez. Desejo principalmente as da Índia, Ilha do Ceilão, Nova Holanda e Molucas.

Sir Charles Stuart deixou-nos para visitar as Províncias do Norte, mas nos fez um pouco ouvir as novidades da Europa. Chegaram três paquetes com despachos destinados à sua pessoa, que não podem ser abertos senão pela sua volta, que Deus sabe quando se dará. Depois de amanhã embarco para a Bahia com o meu bem amado esposo e minha adorada Maria, que faz as minhas delícias pelo seu excelente caráter e aplicação nos estudos. Pretendemos voltar ao Rio de Janeiro pelos meados de abril, já que o Imperador prometeu instalar a Assembleia Constitucional no dia 3 de maio.

Adeus, minha muito cara e respeitável amiga. Ficai persuadida da sincera e inalterável amizade com que sou

vossa afeiçoada

MARIA LEOPOLDINA

São Cristóvão, 2 de fevereiro de 1826.

P.S. — Deveis ter recebido minha carta, em que vos dou a notícia de meu feliz parto de um filho, que realizou todos os meus desejos".

A carta referida no *post-scriptum* nunca a recebi, como também o medalhão com o cabelo das crianças. Tenho motivos para crer que a viagem à Bahia (ou, de qualquer modo, algumas das circunstâncias que a cercaram) constituiu o fundamento dessa doença que, muitos poucos meses depois, pôs termo à curta, e devo dizer, triste vida da mais amável das princesas! Numa carta escrita logo depois de sua volta da Bahia, queixa-se ela de

---

108. Marquês do Maranhão – título brasileiro de Lorde Cochrane. (A)

dores reumáticas nos braços e de um entorpecimento na mão direita. Foi isto no dia 28 de abril*. Repete essas queixas em junho, quando me escreve uma breve carta para me agradecer alguns livros; parece muito temerosa de se ver separada de sua filha, enviada para longe dela, e alude a uma tentativa que havia feito para conseguir sair para fazer uma visita a seu pai.** Em setembro parece estar com melhor ânimo pela sua carta, ainda que se queixe de ter motivos para estar triste.*** Sua última carta, de 22 de outubro, copiarei aqui:

"Minha cara amiga!

Estou desde há muito tempo numa melancolia realmente negra e somente a grande e terna amizade que vos dedico me proporciona o doce-prazer de escrever estas poucas linhas. O Sr. Gordon me fez uma surpresa bem agradável, remetendo-me a balança mineralógica e os encantadores livros que me enviais. O que me fez ficar bem contente foi a afirmação que ele fez de que gozais de perfeita saúde, que em breve visitareis este Jardim da Europa — a incomparável Itália — e podereis, provavelmente, ter o prazer de ver minhas bem amadas irmãs. Como vos invejo do fundo desse deserto, essa doce felicidade!!!!

Assegurando-vos toda a minha amizade e estima, sou
vossa muito afeiçoada

LEOPOLDINA

São Cristóvão, 22 de outubro de 1826."

Logo o pacote seguinte que recebi do Rio, trouxe-me de volta algumas de minhas cartas à Imperatriz, por causa de sua morte.

"Ela não existia mais quando me chegaram às mãos. Sua moléstia foi curta e dolorosa. Não a perdi de vista durante todo seu curso. Ela desesperou desde o princípio; tendo em vista sua idade, sua constituição e a fatal complicação de uma gravidez, fez-se o que foi possível para salvá-la. Sua morte foi chorada sincera e unanimemente. Ela deixa um vácuo perigoso. Nada até agora indica nem que se pretende preenchê-lo, nem por que pessoa.*****"

*. V. carta II pg. 47.
**.V. carta III pg. 48.
***. V. carta IV e V pgs. 49, 50.
****. Carta do barão, na íntegra, página 53 — A última carta de Maria Graham, à pg. 51 – Outra carta do barão, pg. 54.

Este foi o breve, posso quase dizer, o relato *oficial* sobre a morte da Imperatriz, que recebi do Barão. Várias outras cartas me chegaram pelo mesmo correio, todas lamentando a perda da mais gentil das Senhoras, a mais benigna e amável das princesas! Os pobres negros andaram pelas ruas por muitos dias gritando: "Quem tomará o partido dos negros? Nossa mãe se foi!" Muitos e sentidos foram os lamentos das várias escolas e estabelecimentos de caridade, especialmente do Asilo dos Órfãos dos Oficiais, que ela havia criado. Por narrativas particulares, soube que algumas semanas antes da morte da Imperatriz, Dom Pedro havia partido para S.Paulo por negócios políticos e, pouco depois de sua ausência, ela se tornou claramente doente. Mas seu aspecto pálido foi atribuído a seu estado conhecido e não foi senão quando só havia poucas esperanças de salvá-la que os médicos recorreram às medidas enérgicas. Só elas podem oferecer alguma esperança de cura naquele clima, quando o fígado ou os intestinos estão seriamente afetados.

No momento em que ela se confinou em seu quarto, Madame de Santos teve a brutalidade de se fixar ali, em virtude de seu cargo de Camareira-mor. Chegou mesmo a assumir a responsabilidade na ausência do Imperador, de proibir que as crianças vissem a Mãe, que os chamava durante a agonia, que foi horrível, e se interrompia por alguns minutos. Durante todos os anos, por mais desgraçados que tivessem sido da vida de Maria Leopoldina no Brasil, não se soube que tivesse proferido uma queixa. Ela havia suportado a inconstância do Imperador e durezas ocasionais, satisfazendo-se com o fato de não ter ele realmente estimado ou respeitado nenhuma mulher como a estimava e respeitava. Mas naqueles momentos, no delírio da febre, rebentaram as expressões que provavam que sua calma e brandura anteriores não tinham tido origem na insensibilidade, e verificou-se que seus sentimentos em relação a Madame de Santos, a nomeação desta para Primeira Dama da corte, e sua escolha para companhia de viagem à Bahia, haviam sido as circunstâncias que haviam ferido profunda e fatalmente a Imperatriz. Em certa ocasião, um vislumbre de lembrança lhe voltou e Domitília aproximou-se obsequiosamente. Ela pôs-se aos gritos e chamou o Imperador para que a livrasse da detestável criatura. — Não havia ali Imperador — e a criatura detestável ainda mais se aproximava com atitudes violentas, quando alguém, que havia estado de observação, tanto de dia quanto de noite, junto à Princesa agonizante, tomou a rude mulher pelos braços e pôs pela força para fora do quarto. Poucas horas depois, Maria

Leopoldina — Arquiduquesa da Áustria e Imperatriz do Brasil — morreu tranquilamente, tendo suas dores abrandado por algumas horas, no 27º ano de seu nascimento, deixando quatro filhas e um filho. Sua filha mais velha é Dona Maria da Glória, Rainha de Portugal, e seu único filho, Dom Pedro II, Imperador do Brasil.

Logo que a Imperatriz foi declarada em perigo, um despacho foi enviado ao Imperador em São Paulo[109]; sem esperar um instante, ele partiu para São Cristóvão, mas chegou tarde demais para ver a Imperatriz ainda viva. A primeira coisa que fez foi banir Mme de Santos, não somente do palácio, mas das vizinhanças, e não foi senão depois de muitos meses passados que ela e sua corja de parentes e amigos tiveram licença para ocupar ao menos suas antigas posições. Mas afinal a insistência e a forte afeição que ele tinha a sua filha havida com Madame de Santos deram em resultado uma espécie de reconciliação que só durou, contudo, até se concluírem as negociações para o seu segundo casamento, com uma Princesa da Casa de Leuchtenberg, neta da Imperatriz Josefina. Madame de Santos disse, então, adeus para sempre a seu lugar.

Devia já ter mencionado que uma das humilhações que a Imperatriz teve que suportar foi a colocação de uma filha de Domitila no mesmo nível de suas filhas, com direito a um título e uma mantença igual à delas; expedindo um ato governamental para declará-la legítima, e depois publicando essa loucura nas gazetas e jornais do Brasil, seguiu Dom Pedro o exemplo de Luiz XIV, como uma justificação do ato vicioso e violento.

Foi para mim doloroso ser obrigada a relatar algumas circunstâncias tão desprestigiosas sobre o falecido Imperador do Brasil; contudo, quis lisamente fazer justiça às suas grandes qualidades, e quando considero as extraordinárias desvantagens com que teve de lutar para se formar, devido aos maus exemplos — uma educação viciosa, condições políticas aflitivas e difíceis, e uma corte ignorante, grosseria e mais que corrompida — sou antes inclinada a pensar que ele demonstrou nas mais perigosas ocasiões de sua vida, que o distinguiram tanto e com tanta razão, no governo do Brasil e o levaram a uma conduta em Portugal, de que essa nação deve sempre ficar grata, por tornar as cenas finais de sua vida mais importantes do que costumam ser as dos monarcas, para o bem estar de seus sucessores, seja no velho trono da Europa, seja nesse imenso Império no Novo Mundo, que ele fundou.

---

109. O Imperador estava em Porto Alegre quando recebeu a comunicação do falecimento da Imperatriz. Embarcou ali na fragata Isabel para o Rio de Janeiro, aonde chegou a 15 de janeiro de 1827. — (E.)

Apensos

I

(Notas do Dr. Pelham Warren, M.D.F.R.S.*, sobre estas memórias

Esta é uma interessantíssima memória para servir à história de Dom Pedro. Se os Portugueses conseguirem estabelecer uma constituição de Governo livre, ele será uma personalidade assinalada na história de sua nação, e esta memória dará a qualquer futuro escritor da história dos tempos desta revolução, uma incalculável visão do caráter natural da individualidade através da qual ela se processou.

Ninguém, a não ser eu, leu isto, desde que me foi confiado.

16 de março de 1835.

P.W.

(Dr. Pelham Warren) —

II

Carta de Maria Edgeworth sobre a ida de Lady Calcott ao Brasil.

Irlanda — Cidade de Edgeworth, 27 de abril de 1824.

Nunca uma pessoa se sentou para escrever a uma amiga com uma intenção mais interessada do que o faço agora, minha cara Senhora Graham. Ainda que o possa esconder de vós sob cem capas coloridas e vistosas, contudo minha intenção me contempla o rosto em toda a sua nudez. É ela imediata:

*. Doutor em medicina, membro da Real Sociedade. — (T.)

obter uma resposta de Mrs. Graham. Sim, ela me escreverá; sei que ela o fará se eu lhe escrever — estou certa disso — porque, em primeiro lugar, ela é de natureza muito bondosa para me recusar um favor — Depois, envaideço-me de que ela há de guardar uma lembrança da sua velha simpatia e do amor à primeira vista por mim; e levará isto em conta, mesmo que eu tenha merecido castigo de suas mãos — Depois, é certo que ela responderá a minha carta, e igualmente certo que, se o fizer, me tratará benevolamente, porque não poderá deixar de o fazer, se eu escrever, e interessar-me por ela. Confio que me contará tudo o que se refere a ela. Seus planos e projetos, tanto no novo como no velho mundo, de tristeza ou de alegria, prosperidade ou adversidade, devem me interessar sinceramente.

Dificilmente em minha passagem pela vida encontrei alguém que, em tão curtas e raras ocasiões como tive, me interessasse tanto quanto ela, pela franqueza de seu caráter. Acabo de saber que não estais com bom aspecto — não de espírito — mas não passando bem — (que expressão desagradável) — Quer dizer, não gozais de boa saúde — Espero que tenhais razões para crer que o salto para trás, para os Brasis, vos seja favorável — Que voz apraza recordar uma verdade e um truísmo que os gênios entusiastas são capazes de esquecer, no calor da corrida atrás de alguma cor fugitiva do arco-íris da esperança; que vos seja agradável recordar que a vida não deve ser comprada com montes de ouro; que a simples posse da saúde diária não deve ser tomada pela riqueza da cidade das minas do Peru. Que vos adiantará seguir o séquito da futura Imperatriz dos Brasis, se vierdes a perder neste negócio vossa própria saúde e com ela (sem esperança) vossa felicidade?

Pensai uma, duas e três vezes antes de dar o passo e ponde diante de vós uma nova corte e um novo mundo! *Dama de honor* — soa bem! — *Governante das Princesas do Brasil*. Muito importante! Mas fique claro antes de assumirdes o peso do trabalho e das responsabilidades que a este título se junte uma sólida e garantida remuneração. A gente de coração aberto não pensa nestas considerações mercenárias senão quando é muito tarde para consertar. Podeis então em vão chorar com vossos olhos ou gritar as vossas queixas.

Qualquer coisa que combinardes, por favor, seja por escrito, pois os acordos verbais, ainda que muito agradavelmente feitos com sorrisos na face e lisonjas nos lábios, nas cortes ou nos salões, são afinal compromissos precários — e em breve não há construção sobre eles — nada senão castelos no ar.

Eis o caso de Walter Scott, Sir Walter Scott, o cavaleiro do romance, como da vida real uma vez. Que castelo construiu ele[110]! Eu o vi com meus olhos — nenhum castelo no ar, mas em terra firme. Parece que vai durar como suas obras, para sempre. Oh! se tivésseis ao menos uma parcela de sua prudência no mundo! e como saberei que a possuís? Não sei se estarei certa. Que vossa consciência diga se estou certa ou errada. Mas, ao mesmo tempo, para minha satisfação, eu afinal de contas desejaria que fosseis aos Brasis, porque sei que desde então não deixareis de me escrever as mais divertidas cartas do mundo — no novo ou no velho continente — enquanto eu, das plagas da Irlanda, nada tenho de novo para oferecer ou prometer em troca. Mas sei que não sois uma pessoa que calcule estas coisas, e eu confio no vosso desinteresse.

O portador desta carta, Sr. Spring Rice[111], espero que não o conheçais, para que eu tenha o prazer de vo-lo apresentar. É uma honra para sua terra. Eu não vos posso apresentar ninguém da Irlanda que seja um representante mais digno dos talentos irlandeses e de suas boas qualidades características. A senhora Edgeworth, que se recorda de vós com muito agrado, e minhas irmãs, que tiveram o prazer de passar uma tão agradável hora convosco em Paris, desejam-vos os melhores votos e estão quase tão impacientes quanto eu, em saber algo a vosso respeito.

Vossa sinceramente afeiçoada

MARIA EDGEWORTH

Uma de minhas irmãs, recentemente casada, Senhora Harry Fox, que irá a Londres em breves dias, talvez tenha a boa fortuna de conseguir passar uma hora em vossa companhia.

110. Walter Scott (1771-1832). Depois de ter conquistado nomeada como escritor, adquiriu, em Abbotsford, uma pequena propriedade pela quantia de 4.000 libras esterlinas.
À medida que enriquecia, ia aumentando e embelezando sua propriedade. Dentro de alguns anos possuía um dos mais belos castelos da Inglaterra, tudo resultado de sua prodigiosa capacidade de trabalho. Abbotsford tornou-se um dos maiores centros sociais e literários do mundo. Sua biblioteca e suas coleções eram estimadas em 10.000 libras, segundo Taine, *Historie de la Littérature Anglaise*, t.IV, p 300. Paris, 1892.
Aos 55 anos de idade deu-se sua quebra. Walter Scott tinha por hábito gastar por antecipação o lucro dos seus trabalhos. A firma editora, de que era sócio (Ballantyne & Cia.), viu-se insolvente, por isso e pelos péssimos negócios feitos em edições de livros que não se vendiam, tiradas pela gentileza e fraqueza do sócio literato. *A Edinburgh Review* anual, criada para colocar seu amigo Robert Southey, custava 1.000 libras por ano e dava enorme prejuízo. A notícia de sua ruína causou imensa consternação. O público, para auxiliar o autor, consumia incrivelmente suas produções. Walter Scott portou-se com heroísmo, revelou inesperada energia e começou a pagar pouco a pouco aos seus credores. Sua família não se conformava com o regime de economias; sua mulher morreu em 16 de maio de 1826, mas Walter Scott continuou a lutar. Em três meses escreveu Woodstock, que lhe rendeu 8.000 libras; a Vida de Napoleão deu-lhe 18.000 libras. Em dois anos pagou 40.000 libras. Morreu em 21 de setembro de 1832, ainda em seu castelo. — (E.)
111. Depois chanceler do Tesouro e então Lorde Monteagle. — (A.)

Este livro foi composto com a tipografia Times New Roman
e impresso pela Meta Brasil.